KB096598

사자의 서

2015

과거편

아빠께

차례

서장. 제왕의 검

서장. 제왕의 검

2010년 2월 21일 새벽4시경

승려 니엉지는 빠른 발걸음으로 주지 니마츠렌을 찾아가고 있었다. 이 시각쯤이면 그가 아마도 기상을 하여 깊은 새벽 명상에 빠져 있을 시간이라는 것을 알고 있었지만 승려 니엉지의 다급함은 그것에 비할 바가 아니었다.

많은 이들의 복을 비는 축원명상에 빠져 있는 니마츠렌은 승려 니엉지의 앞뒤 가리지 않은 인기척에 두 손을 합장한 채 세 번의 절로 그의 명상을 접었다.

〈무슨 일인가?〉

〈불길한 징조입니다! 빨리 밖에 나가 보심이 좋을 듯합니다!〉

오랜 세월 승려의 길을 걷고 있는 그에게 몇 번의 불길한 징조들이 있었다. 아직 어린 동자승 시절, 11세 때인 1959년이 그 징조들의 처음이었다.

1959년은, 세상의 해탈과 모든 이들의 복을 빌어주는 주지로 추앙받는 자신임에도 불구하고 기억하고 싶지 않은 해였다.

달라이 라마가 7만 여명의 티벳민들을 이끌고는 중국군대를 피해 히말라야를 넘어 인도로 망명한 해였다. 그때 그의 어머니와 누이들도 그 무리와 함께 떠났다. 그 후 같은 해 4월에 그의 형인 승려 쿵카가 집회에서 사망했다.

어린 시절에 겪은 일이였지만 그가 승려가 되기 위해 걸어온 지난 인생 내내 꿈속에서, 환영 속에서 그의 발목을 잡고 공포감에 휩싸이게 하는 요인이 되었다.

〈무슨 일이 벌어졌는가?〉

〈하늘이 심상치 않습니다!〉

〈하늘이?!〉

그는 승려 니엉지를 따라온 몇몇의 학승들과 함께 서둘러 홍궁 밖으로 나가 보았다. 하늘은 푸른빛의 안개가 드리운듯했고 그 빛은 이상하게도 보랏빛으로 다시 푸른빛으로 알 수 없는 흐름들로 머리까지 얼어 버릴 것 같은 서늘함을 뿜어내고 있었다.

그는 아무 말도 할 수가 없었으며 일행들을 이끌고 포탈라궁 밖으로 나가 보기에 이르렀다. 새벽 시간까지도 오체투지를 하는 사람들로 가득하던 포탈라궁 정문 앞쪽에는 이미 놀란 이들이 주지 스님을 보자 마치 구원의 신을 얻은 양 온몸으로 절을 하기 시작했다.

처음에 다리를 뻗고 가슴까지 땅에 누이며 얼굴을 땅에 파묻고 더욱더 애절한 절을 반복하였다.

니마츠렌은 절망하듯 포탈라궁을 바라보았다. 불길한 푸른빛은 하늘에서 나온 것이 아니었다. 그것은 포탈라궁을 감싸듯이 흐르고 있었다.

기괴한 푸른빛은 그의 형인 쿵카가 휘몰아치던 집회의 장으로 달려가는 모습을 발견했을 때 느꼈던 불안하고 두려운 느낌과 닮아 있었다.

〈이것은··· 살기(殺氣)다······!〉

다음날 아침 그는 궁 안에 모든 승려들을 모았다. 그리고 그들에게 푸른빛의 정체에 대해 지혜를 구했다.

혹자들은 중국인들이 인위적으로 만든 연기가 아닌가 했으며 어떤 러시아에서 온 학승은 오로라 현상에 대해 설명 했다. 모든 의견들에 일리가 있었지만 떨쳐 버릴 수 없는 그의 예감은 너무나 강렬하였다. 그것은 젊은 학승들이나 죽음의 공포를 맛보지 못한 승려들은 알 수 없는 그런 느낌이었다.

하지만 똑같은 현상은 그날 밤에도 계속 되었고 그는 밤새 잠을 이룰 수가 없었다.

소문이 삽시간에 티벳 전역으로 퍼져 나갔다. 푸른 상서로운 빛으로 밤마다 휩싸이는 포탈라궁을 보면서 사람들은 두려움에 떨었고 연일 포탈라궁으로 성불을 드리러 오는 발걸음이 끊이지 않았다.

며칠 후 이 소식이 알려지면서 라싸로부터 차로 9시간 정도 떨어진 사키아사원의 주지인 창바라제스님이 직접 내방을 하였다.

그는 니마츠렌과 절친한 사이였으며 동자승 시절을 끝낸 후 3년간 법문공부를 같이한 동학승이었다. 그는 혼자 온 것이 아니라 몇몇 승려들과 올해로 97세가 된 그의 스승인 왕겔 린포체와 동행하였다.

〈창바라제, 이게 얼마만인가?!〉

〈서로 주지를 맡고 있으니 만나 보기가 그리 녹녹치 않군.〉

20년 만의 만남이었지만, 근래에 연일 계속 사람들의 입방아에 오르내리는 포탈라궁의 괴현상은 그들의 만남을 비장함으로 냉각시키고 있었다.

〈나의 스승인 왕겔 린포체이시네.〉

티벳내에서는 물론, 세계 여러 나라에서 위대한 스승으로 추앙받는 그를 니마츠렌이 모를 리 없었다. 또한 이번의 불길한 징조에 대해 친구의 위대한 스승이 어떤 지혜를 줄 수 있을 것이란 기대감을 갖게 하였다. 아니, 현 상황에서 그에게는 달라이 라마의 재

입성보다 더욱 그 스승의 한마디가 절실했다.

하지만 함께 온 승려들이 미는 휠체어에 한껏 구부정한 몸을 의지하고는 붉은색 가사 너머로 떡갈나무의 껍질처럼 긴 시간의 통로를 지나온 듯한 모습의 위대한 스승은 병들고 지쳐 있었다.

〈때가 온 게야…….〉

치아가 몇 남지 않은 스승이었지만 새는 듯한 발음의 그의 말은 분명 그러했다. 니마츠렌은 그 위대한 스승이 무언가 알고 감지하고 있으며 해결사가 되어 줄 것이라고 직감했다.

그날 밤 포탈라궁 밖, 극지방에서도 한참을 멀리 떨어진 고산지대인 티벳에서 푸른빛의 괴오로라현상을 직접 두 눈으로 확인한 위대한 스승과 창바러제주지는 궁 전체에서 퍼져 나오는 푸른 기운에 압도되었다.

〈역시…….〉

창바라제주지는 그의 위대한 스승을 쳐다보며 의견을 묻기라도 한 듯 말했다.

〈제왕의 검이 깨어 난 게야……!〉

굽은 어깨를 휠체어의 등받이에 기댄 채 위대한 스승 왕겔 린포체는 탄식했다.

〈그렇다면 스승님! 이제…… 운명의 날이 다가온 것입니까?!〉

〈이미 우리가 알 수 없는 겁의 시간 속에 모든 것은 약속되어 있는 게야……. 우리는 우리에게 정해진 일을 하는 것이 임무인 게지.〉

〈하지만 소승은 참으로 두렵습니다.〉

〈운명이 두려운 것이냐? 임무가 두려운 것이냐? 이미 그 모든 것은 정해져 있다는 것을 알고 있는 네가……! 정해진 일을 생각대

로 진행하거라. 우리는 수행자일 뿐, 그것이 우리가 이번의 삶을 사는 이유라는 것을 잊지 말거라…….〉

〈…….〉

스승의 단호한 꾸짖음에 창바라제는 말없이 고개를 숙여 긍정의 대답을 대신했다.

97세가 된 스승은 죽기 전에 마지막으로 있는 힘을 다해 눈을 뜨기라도 하듯 젊은 날에 총기 있었을 매서운 눈을 빛내며 말을 이었다.

〈이렇게 강력한 기운은……, 건강하고 용맹스러운 수많은 전쟁 영웅들의 죽음으로 얻어진 피의 기운이구나! 어허……, 이 무서운 피의 살기가 운명의 깨어남을 알리는 힘으로 작용하고 있다니…….〉

무엇인가 알리고자하는 이 강력한 기운이 죽음의 기운이라는 것, 이렇듯 고승들의 영감은 일치하는 것이란 말인가?

지난밤 괴현상을 직접 확인한 창바라제는 니마츠렌에게 포탈라궁의 지하밀실을 열 것을 요구했다. 지난 1959년에 티벳내의 사원들로부터 중요한 보물들이나 보호해야할 물건들이 포탈라궁으로 보내졌었다.

그 해 중국군대의 사원 폭격을 피하기 위함이었는데 포탈라궁 지하 밀실은 포격에도 살아남을 수 있을 만큼 안전한 장소였기 때문이었다.

〈1959년, 우리 사키아사원에서 보낸 상자가 하나 있었네. 그 상자는 지금으로부터 1500년 전의 것이라네. 너무나 오래되어 그 가치는 따질 수 없을 정도지. 고대의 본교 사원시대로부터 전래되어

진 상자 안에는 1500년 전 세계제왕이 사키아사원에 전해준 보물이 있다네.〉

〈세계제왕의 보물이라……?! 그것이 이번 오로라현상과 관련이 있다는 것인가?〉

〈그것은, 직접 눈으로 확인하기 전까지는 자네에게 언급을 하지 않겠네.〉

창바라제의 반응에 니마츠렌의 의혹은 증폭되어 갔다.

〈그 세계제왕이 맡긴 보물이란 무엇인가?〉

〈그것은 제왕의 검이라네!〉

〈검이라고?!〉

의외의 물건이었다. 모든 중생의 깨달음과 영생을 빌고 모든 동, 식물로의 환생에 대한 가르침을 주어 지렁이 하나도 밟아 죽이지 말라고 말하는 이 불교 사원 안에서 살상의 무기라니…….

니마츠렌은 그런 물건을 애초에 오랜 세월 보관해온 사키아 사원이 이해되지 않았다. 그리고 무엇보다 그 검이 포탈라궁을 휘감고 있는 이 괴기스런 현상과 도대체 무슨 관계가 있단 말인가?

방이 1000개나 넘게 얽혀 있는 미로와 같은 포탈라궁이었다. 하지만 니마츠렌은 주지가 된 이후에 단 한 번도 지하 밀실을 열은 적이 없었다.

지하3층에 위치한 이 밀실은 달라이 라마의 유사시 피신처로 만들어진 곳이었으나 1959년 이후 지금까지 비공개 고대유물들의 보관 장소로만 쓰이고 있었다.

지하3층의 통로로 이어진 부분은, 화려한 금불상들이 즐비한 상층이나 역대 달라이라마들의 금, 은, 보석으로 단장된 영탑들과는 사뭇 분위기가 달랐다.

화려함과는 거리가 멀어 보였고 마룻바닥들은 낡아 삐걱대며 사람의 발길을 낯설어하고 있었다. 앞장선 니엉지가 비추는 손전등에 의지한 일행들의 눈에 어두컴컴한 복도를 따라 한줄기 스산한 미명의 푸른빛이 연기처럼 흐르고 있는 것이 보였다. 낮에는 사라져 보이지 않던 푸른빛이 지하의 어둠속에서 피어올라 오는 것을 보자 니마츠렌은 등골이 오싹함을 느꼈다.
그 푸른빛은 문제의 밀실입구로 이어져 있었고 입구의 양옆은 험상궂은 얼굴에 금강지상들이 지키고 있었다.
그렇다면 괴현상은 정말 창바라제주지가 말하는 제왕의 검과 관련이 있는 것일까?

3명의 승려들을 동반한 니마츠렌과 창바라제주지의 일행들이 지켜보는 가운데 승려 니엉지가 음습한 밀실의 문을 묵직한 열쇠로 열었다.
오래되고 두꺼운 목재문의 쇠로 만들어진 경첩에서는 산화된 철이 마찰되면서 내는 버거운 소리와 더불어 힘겹게 열렸다.
오래 동안 열린 적이 없는 지하 밀실에서는 눅눅쿰쿰한 냄새가 풍겨 나오고 방 내부에 아무런 전기 시설이 되어 있지 않아 벽에는 여기 저기 타다 남은 초가 잔뜩 거미줄을 뒤집어 쓴 채 촛대꽂이에 꽂혀 있는 것이 눈에 띄었지만 희한하게도 어둡지 않았다. 심지어 문을 서서히 열어젖히자 더욱더 밝은 푸른빛을 띠며 환해지고 있었다.
일행들의 눈에 들어 온 밀실에는 고대밀교인 본교의 정령들의 조각상들, 크고 작은 화려하지 않은 돌불상들, 여러 점의 두루마리 탱화들, 그리고 상자들로 빼곡히 채워져 있었다.

그런데,

밀실 안 정중앙, 많은 상자들이 쌓여 있는 위쪽으로 푸른빛들이 뱀처럼 휘감고 있는 1m 정도의 길쭉한 물체가 허공에 떠 섬뜩한 빛을 발하고 있었던 것이었다.

마치 귀신을 보는 것 같았다.

좀 더 다가가서 본 물체는 번뜩이는 양날을 가진 날카로운 검이었다.

그 칼은 분명 강철로 잘 만들어진 것이었으며 오랜 세월 속에서도 처음 제련한 것 인양 날이 서슬 퍼렇게 이빨을 드러내고 있었다.

손잡이 끝부분은 금장식으로 호랑이인지 사자인지 알 수 없는 맹수가 조각되어 있었고 손잡이 몸체에는 세 개의 삼태극 문양과 붉은색의 보석으로 장식이 되어 있었다.

외관의 아름다움뿐 아니라 위엄 있는 자태는 감히 범접하기 힘든 느낌을 주었고 끝의 날카로운 칼날 부분은 금방이라도 날라 와 목을 쳐낼 듯이 치명적인 공포로 상대를 제압하는 강렬한 기운이 감돌고 있었다.

〈제왕의 검이 부활했어! 1500년 전 예언대로 부활한 게야……. 이제…… '사자의 서'를 찾을 수가 있단 말인가!〉

니마츠렌은 소스라치게 놀라지 않을 수 없었다. 방 한가운데 푸른빛을 내며 떠 있는 칼로도 모자라 자신의 귀를 의심하였다.

'사자의 서'라고?!

오래전 그 실체에 대해선 스승들로부터 선문답과 같은 추상적인 말들로만 전해 들어 지금은 존재마저 의심스러워했던 그런 것이었다.

그런데 지금 창바라제의 위대한 스승이 그 전설 같은 존재를 거론하고 있는 것이었다.

〈'사자의 서', 그것이 진정 세상에 있는 것입니까?! 그리고, 저 검과는 무슨 연관이 있단 말입니까?!〉

니마츠렌은 위대한 스승에게 다그쳐 물었다.

〈세상의 모든 시작과 끝……, 모든…… 생명체의 근원이며 모든 존재하는 것에 대한 답변이며…… 존재하나 존재하는 것이 아니며, 만질 수도 없지만 모든 우주 삼라만상의 것을 보여주는 그런 것이야……. 이것을 얻은 자는 오직 세계 제왕의 운명을 타고난 자, 세상의 주인이 된 자라네.〉

많은 스승들이 그러했듯 '사자의 서'에 관해서는 알 수없는 수수께끼 같은 말들을 왕겔 린포체 역시 늘어놓았다.

니마츠렌은 불교에 입문해 생과 사의 비밀들을 깨달으려 무던히 수행을 하며 살아 왔건만 몇몇 고승들이 전하는 '사자의 서'에 대해서는 항상 난해함을 느껴 왔었다. 그런데 유령처럼 나타난 심상치 않은 기운의 검이 '사자의 서'를 찾을 수 있는 열쇠라고?!

〈저 검을 가져 오라!〉

나마츠렌이 언성을 높여 명령하였지만 건장한 젊은 승려들조차도 검의 서슬 퍼런 살기에 눌려 감히 다가가기를 꺼려했다.

위풍당당한 괴물 검은 다가가기만 해도 목을 베어 버릴 듯 괴기스러움을 머금은 채 날카로운 칼날을 번뜩이며 중력의 법칙도 무시한 신령스런 자태로 푸른빛에 휘감겨 미동도 하지 않았다. 그것은 악명 높은 장수의 얼굴인양 쳐다보는 것조차도 위협을 느끼게 하였다.

과연 제왕의 검이라 할 수 있지 않은가?

〈저 검은 제왕의 후예만이 거두어들일 수 있는 보검일세! 선불리

건드렸다간 화를 당할 수 있어!〉

창바라제주지가 무언가 검의 비밀에 대해서 알고 있는 듯이 말했다.

니마츠렌은 점점 창바라제주지 일행의 정체에 대해서 의구심이 더해갔다. 그리고 무엇보다도 오랜 의문이었던 '사자의 서'를 거론하지 않았던가? 과연 고승들의 입으로 전해 내려와 몇몇 승려들에게만 전해지는 비밀은 무엇이란 말인가?

백궁안 비밀 회의실, 둥근 목재 원탁과 의자들이 놓여 있었다. 그곳에 창바라제주지 일행과 니마츠렌의 승려 3명 그리고 승려 니엉지가 앉아 있었다.

창바라제주지는 그의 스승 외에도 4명의 승려들을 대동하고 있었다. 그는 아직도 검에 대한 놀라움과 의구심에 사로잡혀 있는 니마츠렌에게 다른 승려들을 물려줄 것을 요구했고 뒤이어 그들의 비밀에 대해 입을 열기 시작했다.

〈이쪽은 승려 앙카라고 하네. 그는 부탄에 있는 탁상사원의 승려일세.〉

창바라제주지는 자신의 앞쪽에 앉은 승려를 오른손의 손바닥을 펼쳐 가리키며 말했다.

붉은색의 가사에 오렌지 색깔의 천을 두른 부탄의 승려 앙카는 40세 전후로 보였고 조금은 큰 키에 마른체형의 소유자였다. 그는 조용히 두 손을 합장하고 말없이 고개를 숙였다.

〈그런데 탁상사원의 승려 분께서 여기에 오신 연유가 무엇인가?〉

니마츠렌이 의문을 갖는 것은 당연했다. 그는 오래전 젊은 날, 탁상사원에 다녀온 적이 있었다.

8세기 이후 연꽃에서 태어난 티벳의 성스로운 승려 구루 린포체인 파드마 삼바바가 암컷호랑이를 타고 처음으로 정착해 부탄이라는 나라를 설립하였다. 그는 온통 세상을 어둠으로 만들어 버린 마왕을 굴복시켜 그 어둠의 결계를 잠재우고 그곳에서 오랜 기간 수행을 했다. 후대에 14세기경의 사람들이 그가 수행했던 장소에 세웠다는 오래된 역사를 가진 신비한 사원이 바로 오늘날의 탁상사원이다.

니마츠렌 자신도 위대한 스승 파드마 삼바바의 수행지인 그곳에서 젊은 한 때 수행을 했었다.

그런데 그 사원의 승려가 이 일과 무슨 연관이 있단 말인가?

니마츠렌은 티벳의 사키아사원과 부탄의 탁상사원의 묘한 결탁에 궁금증만 늘어갔다.

하지만 창바라제주지는 동요됨 없이 침착함을 넘어서 깊이 가라앉은 말투로 답했다.

〈니마츠렌, 지금 이곳 라싸의 포탈라궁에서 일어나고 있는 이 기이한 푸른빛의 오로라현상은 우연한 일이 아니네. 이것은 지구상의 모든 생명체의 운명과 관계된 우주적인 사건일세. 이것은 '제왕의 검'의 깨어남을 통해 '사자의 서'를 찾게 하고 그것을 통해 다가올 운명적 역사를 알리는 알람과도 같은 것이란 말일세.〉

우주적 사건?! 운명적 역사의 알람?!

도대체 창바라제, 우리가 모르는 무엇을 알고 있는 것인가?!

창바라제주지가 연이어 말했다.

〈고대 본교 시절부터 사키아사원에 이르기까지 선대 스승님에서부터 해오던 임무는 다름 아닌 '사자의 서'와 '제왕의 검'의 수호이네. 그 수호자들은 탁상사원 설립이전부터 존재했었네. 지금으로부터 1600년 전, 세계 제왕의 운명을 가진 자에게 '사자의 서'의 일부분을 내어 주었네. 그 이후 세계 제왕의 후손이 그것을 되돌려 놓았고 수호자들은 '사자의 서'의 수호를 위하여 세계 제왕의 기운을 간직한 '제왕의 검'을 받아 두 개의 기운을 공명시킴으로써 두 신물 사이에 운명적 연결싸인을 만들어 놓았지.〉

니마츠렌의 흥분하여 말했다.

〈'사자의 서'를 수호한다고?! 어디에 '사자의 서'가 있단 말인가?! 사키아 사원? 아니면 탁상사원인가?!〉

〈정확히 지금의 탁상사원에 위치하고 있네. 탁상사원설립 이전부터 대스승 파드마 삼바바의 제자들을 주축으로 부탄 쪽에서도 '사자의 서'의 암흑결계를 수호하는 수호자조직이 생겼지. 그리고 우리 사키아의 수호자들과 그들은 이미 오래전부터 결탁하여 서로 공조 하에 검과 결계를 수호하였던 것일세.〉

〈그렇다면 '사자의 서'가 존재하는 것이 사실이란 말이 아닌가?〉

니마츠렌의 격한 감정과 상관없다는 듯 창바라제주지는 고요히 고개를 끄덕였다.

〈그런데 800년 전쯤에 사키아의 수호자들께서는 어떤 이의 방문을 받았지. 그리고 어떤 이유에서인지 수호자들께서는 그에게 '사자의 서'의 일부분을 또다시 내어 주었다네. 그 이후 우리 수호자들은 12년마다 돌아오는 호랑이의 해, 호랑이의 월, 호랑이의 일, 그리고 호랑이의 시마다 다시 깨어날 제왕의 검을 오랜 세월 기다리고 있었네. 수호자들이 설계해 놓은 검과 '사자의 서'의 공명감은 의도와는 상관없이 지구상 생명체들의 운명적 시계가 되어 버렸지. 그것은 마치 열쇠와 자물쇠처럼 작동하는 운명적 고리가 된 것이지. 그것은 수호자들 어느 누구도 의도한 것이 아니네. 자연적

으로 검과 '사자의 서' 스스로가 그렇게 되어 버린 것이네.〉

〈그렇다면……, 그 '사자의 서'의 일부분이 어디에 있단 말인가?〉

〈그것은 내가 함부로 발설할 수 없는 것이네. 다만 그것은 오직 제왕의 후예가 제왕의 검을 얻은 이후에 입 밖에 낼 수 있는 사안일세.〉

〈제왕의 후예? 그들은 누구이며 어디에서 그들을 찾을 수 있단 말인가?〉

이 말에 옆에서 조용히 통역의 말을 경청하던 부탄의 승려 앙카가 유창한 영어로 말을 받았다.

〈그것에 대해서는 소승이 말씀드리겠습니다. 그 열쇠는 고대로부터 전해지는 오래된 지명에 그 비밀이 새겨져 있으며 그 지명의 발원지는 인간의 생명이 시작한 중앙아시아 지역의 몽골입니다.〉

〈그렇다면 그들이 몽골에 있는 것인가?〉

〈아닙니다. 오래전 인류가 존재하기 전부터 정해진 곳입니다. 단지 고대어로 지명이 불리어 지고 있는 곳입니다. 이것은 신의 오래된 계획 속에 암호화 되어 있는 지명입니다.〉

〈그 지명이 무엇인가?〉

〈바로 '솔롱고스'입니다. 이것은 몽골어이지만 오래된 고대 그리스어이기도 합니다. 이것은 'Solar'와 'Logos'의 합성으로 이루어졌으며 뜻은 '태양의 말씀'입니다. 바로 그 태양의 말씀인 '솔롱고스'는 몽골어로 '무지개'라는 뜻입니다. 그야말로 눈에 보이는 태양의 말씀 아니겠습니까? 묘한 통합이 있는 것을 알 수 있으실 것입니다. 저희 수호자 승려들은 오래전부터 몽골어에서 이런 통합이 있는 지명들을 연구하여 '운명의 운반자'들이 태어나서 자란 곳을 점쳐 왔습니다.〉

〈'솔롱고스'? '태양의 말씀'이란 뜻의 이 지명이 가리키는 곳은 도대체 어디인가?〉
〈바로 한국입니다. 몽골인들은 한국을 '무지개의 나라'라고 부르지요. 이것은 신의 뜻에 따라 언어에 새겨진 고대의 비밀열쇠입니다. 오랜 세월을 거치면서도 그 지명은 점점 운명에 가깝게 굳어 졌습니다. 그리고 그곳에 제왕의 후예가 태어나 자라고 있습니다.〉
이쯤에서 다시 창바라제주지가 끼어들었다.
〈니마츠렌, 그 운명의 운반자들을 하루속히 찾아야만 지금 이 기괴한 현상을 없앨 수 있네. 그리고…… 더 크게는 그들이 있어야 '사자의 서'를 옮길 수 있네. 이것은 오래된 우주만물의 계획 속에 있는 운명의 운반이 될 걸세. 이것은 우리 인간의 일이 아니라네. 이것은…… 신의 뜻이네.〉
〈…….〉
니마츠렌은 말문이 막히었다. 그는 지금 이 괴현상이 단지 작은 일이 아님을 느꼈다. 그것은 그가 생각한 것보다 위대한 일임에 틀림이 없었다. 그리고 그는 문득 궁금해졌다.
〈역사 속에서 '사자의 서'를 옮긴 인물이 도대체 누구인가? 스승들께서는 그런 인물에 대해서 단 한 번도 언급한 적이 없었네.〉
〈그는 800년 전 홀연히 사키아사원을 찾아 온 자이네. 그리고 그는 많은 죽을 고비를 넘기며 '사자의 서'를 손에 넣었네. 제왕의 후예에게만 넘겨줄 수 있도록 되어 있는 그것을 어째서 그가 손에 얻었는지는 기록이 남아 있지 않네. 하지만 여기 탁상사원의 승려들의 의견으로는 보통 인간의 힘으로 얻을 수 없는 것이라고 하네.〉
〈그럼 인간이 아니라는 것인가?〉
〈그의 이름은 징기스칸이라네.〉

창세기 9장 16절 :

무지개가 구름사이에 있으리니,
내가 보고 나 하나님과 모든 육체를 가진 땅의 모든 생물사이의 영원한 언약을 기억하리라.

제1장. 또 다른 제왕

제1장. 또 다른 제왕 1

1. '사자의 서'를 구하는 자

1203년 7월 20일

전례 없이 치열한 전투였다.

20여년 세월을 전장을 떠돈 그였지만 이번만큼은 쉽지 않았다. 무엇이 저 작은 베수트씨족의 힘일까? 그는 매번의 전투에서 개개의 부족을 알아 가고 이해하고 싶었다.
배신감과 상실감으로 수없이 겪어야했던 자살충동과 전쟁터의 칼날 끝 죽음의 그림자에 맞서 그가 지금껏 살아 있는 이유는, 드넓은 초원의 남아로 태어나 약탈의 운명을 안고 살아가야 하는 이드러운 굴레의 수수께끼 조각을 맞추기 위해서 였다.
사냥하는 들개들 마냥 약탈과 도망과 배고픔의 운명이 그의 인생의 어디까지 끈질기게 따라다닐지 어떻게든 살아서 지켜보기로 했다.

우기를 맞아 비가 퍼붓고 있는 초원에 검붉은 색의 빗물이 흐르고 있었다.

〈얼마의 군사를 잃었는가?〉
그는 침통한 기분으로 부군장 스부타이에게 물었다.

〈병사 이백정도와 말 오십이옵니다.〉
〈예수게이는 어떻게 되었는가?〉
예수게이는 그의 애마의 이름인 동시에 그의 나이 9세 때 살해당한 자신의 아버지이기도 했다. 약탈의 운명을 물려준 그의 부친은 훌륭한 부족장이었다. 하지만 거친 이 유목민의 생활이란 배신과 야합과 버림, 그런 것이 전부였다.
〈고통스러워하고 있습니다. 어서……, 베어 주심이 나을 듯합니다.〉
감히 그의 부하들은 부친의 이름을 딴 그의 애마를 죽일 수 없었다. 그들은 그가 어떤 의미에서 그 이름으로 애마를 부르고 그 애마와 더불어 부족통일의 전장으로 나아갔는지 너무나 잘 알고 있었기 때문이었다.
〈그리고……, 전투 중에 칸의 말을 쏜 자를 잡아 왔습니다.〉
〈그래?!〉
그의 아버지를 죽인 원수 같은 놈이었지만 그는 그 놈을 한번 보고 싶었다.
〈이리 데려 오라!〉
〈네!〉
건장한 몸과 매서운 눈을 가진 거친 야생마 같은 놈이었다. 칸인 그의 앞에 무릎 꿇어 질 때까지 그놈은 거칠게 반항하였다.
〈이름이 무엇인가?〉
〈더러운 침략자에게 내 거룩한 이름을 말할 수 없다!〉
그 놈은 날카로운 두 눈을 치켜 떠 죽일 듯이 쏘아 보며 소리를 질렀다.
놈의 눈빛을 잠시 쳐다보던 그는 낮은 목소리로 물었다.
〈어디서 나를 향해 활을 쏘았는가?〉

〈성 망루에서다! 어디서든 난 네 머리를 노리고 있을 테니 날 절대 살려두지 않는 것이 나을 것이다!〉

망루라면 격전지에서 사람이 개미보다 작게 보일 장소였다. 과연 그것이 가능한 일인가?

잠시의 망설임도 없이 그는 명령하였다.

〈이 놈에게 활을 주라! 〉

스부타이와 주변의 병사들이 그의 반응에 놀라 웅성거렸다. 하지만 그들은 언제 어디서든 그를 따르겠다고 전우들의 피가 섞인 흙탕물을 마시며 맹세하지 않았던가?

〈이 놈이 어떤 일을 벌일지 모를 일이옵니다!〉

부하의 말에도 아랑곳없이 그는 얼굴을 굳히며 역설했다.

〈베수트씨족아! 우리는 모두 대지와 하늘 신의 자식들이다. 그러니 넌 나의 형제가 아닌가?! 난 오늘 나의 애마를 잃었지만 또 다른 형제를 얻지 않았겠는가? 나의 애마와 너 둘 중에 택하라면 난 너를 택하겠다. 나와 함께 한다면 더 이상 베수트씨족에게는 약탈자도 없을 것이며 배고픔도 없을 것이고 버림도 없을 것이다! 왜냐면 니가 더욱 강한 제국을 건설하도록 도울 것이기 때문이다! 나는 이것을 실현하기위해 일생을 바칠 것이다!〉

그랬다. 그는 초원의 남아들을 강한 제국의 장군으로 키울 수 있는 지혜와 담대함을 가진 자였다.

이윽고 활과 화살, 하나씩이 그 놈에게 전해졌다.

놈은 매서운 두 눈의 동공을 빛내며 그가 말하는 것을 쏘아 보고 있었지만 그런 말을 자신 있게 할 수 있는 자가 어떤 자일까 궁금해졌다.

활의 시위가 당겨졌고 주변은 숨 막힐 듯 조용했지만 칼자루로 손이 가는 병사들의 서늘한 기운이 긴장을 고조시키고 있었다.

그러나 정작 그는 아무런 떨림 없이 강한 눈빛으로 화살의 끝을 응시할 뿐이었다.

그에게 있어 언제나 삶과 죽음은 그의 권한이 아니었다. 그는 그가 원하는 것을 신들도 원한다면 삶을 줄 것이고, 신들이 원하지 않는다면 죽음을 줄 것이라는 운명론의 신봉자였다.

그것은 매번의 전장에서 그가 죽음의 공포를 놓아 버릴 수 있는 주문과도 같은 것이었다.

잘 단련된 종마의 등근육을 자랑하며 길게 활의 시위를 당기던 그놈은 급하게 활시위의 방향을 틀었다.

'핑!~'

화살의 날카로운 끝을 쓰러져서 숨을 몰아쉬고 있는 예수게이의 심장에다 관통시켰다.

일제히 병사들이 칼을 뽑아 들었지만 그는 한손을 들어 병사들의 칼을 물리었다. 그리고 숨을 몰아쉬던 예수게이가 고요해질 때까지 지켜보았다.

놈은 활과 화살을 바닥에 던지고 소리쳤다.

〈당신이 강한 제국을 건설 하는 것을 돕겠다! 이젠 당신의 애마는 보내야겠지!〉

잠시간의 정적이 흘렀지만 그는 자리에서 일어나 초원의 빗소리가 무색해질 큰소리로 웃으며 놈에게로 다가가 커다란 두 팔을 벌려 안았다.

〈너는 오늘 나의 형제로 다시 태어났다! 나를 그냥 테무진(징기스칸의 아명)으로 부르라! 그리고 이제 너의 이름은 '제베'(화살)이다!〉

적군에게 납치 되어간 후 1년 뒤 임신한 채로 되찾아온 그의 아내는 적군의 아이를 가졌었다. 그러나 그렇게 얻은 아들도 그의 다른 세 명의 아들과 똑같이 자신의 자식으로 길러낸 그였다. 드넓은 초원에서 길러진 남아들이다. 그가 받아들이지 못할 것은 아무것도 없었다.

그는 신의 영역인 삶과 죽음을 제외한, 인간들이 만들어내는 그 어떤 운명의 사슬도 거부하는 지독히도 자유로운 영혼의 소유자였다.

비가 그쳤다. 전투가 끝난 날 밤이면 고요한 막사에서 그는 항상 불안감에 휩싸여 불면의 밤을 지새웠다. 어디선가 칼을 휘두르며 적군이나 타 부족이 치러 오는 것은 아닐까? 또다시 자신의 소중한 것을 앗아가지는 않을까? 그는 이런 느낌을 떨쳐 버리려고 애를 썼다. 하지만 그것은 그가 세상을 발아래 놓은 위대한 지배자가 되기 전까지는 이룰 수 없는 일이라고 생각했다.

〈형님!〉

잠을 이루지 못하는 또 한명의 사내가 있었다. 제베였다.

〈아우 제베야, 어서 오라!〉

그는 진심으로 그의 새로운 형제를 다시금 두 팔에 힘차게 안았다.

〈긴히……, 드릴 말씀이 있습니다.〉

〈오오, 무엇인가? 아우의 말을 듣네.〉

대범한 전략가인 그에게는 이렇듯 언제든, 누가하는 말이든 경청하는 세심함이 있었다.

〈저희 베수트씨족은 옛 훈족의 후예들이옵니다. 베수트씨족의 오랜 예언에는 훈족의 호랑이 제왕이 부활할 것이라고 전해집니다.

그리고 저는 오늘 그 제왕을 영접했습니다.〉

제베는 머리를 숙이고 오른쪽 팔을 구부려 가슴으로 가져가며 자신의 충성심을 표현했다.

〈진정으로 그리 생각한다면, 나는 천군만마를 얻은 것과 같네!〉

훈족은 유목민 부족들에게는 전설과 같은 제국이었다. 800백 년 전, 그들은 아시아는 물론 유럽과 아랍의 대부분을 복속시켜 대제국을 건설했었다. 문자가 없어 제대로 역사로 전해지는 바가 없기 때문에 세월이 지난 지금에 와서는 많은 여러 유목부족들이 훈족의 후예임을 표방하고 있었다.

초원에서 자란 유목민의 사내아이들치고 이 용맹스러운 훈족왕에 대해서 들어 보지 않은 이가 없었다. 그렇게 훈족왕은 초원에서 태어난 영웅으로 전해 내려왔다.

〈아주 오래전부터 우리 부족은 입에서 입으로 그 훈족왕에 대한 역사와 예언을 전해 왔습니다. 옛 훈족의 왕은 '뵈'(티벳)의 땅에서 '사자의 서'를 얻어 세계 제국의 왕이 되었다고 합니다. 그리고 그 신물은 마지막 제왕인 아틸라 왕의 죽음과 함께 다시 '뵈'로 보내졌다고 합니다. 우리 부족은 그토록 위대했던 훈족왕이 언젠가는 부활할 것이며 그 제왕은 다시금 '사자의 서'를 얻어 천하를 통일하게 될 것이라고 믿고 있습니다.〉

〈'뵈'라면……, 현재 토번국(티벳)이 아닌가? 그곳에 그 '사자의 서'가 있단 말인가?〉

머리에 써늘한 바람이 들어오는 듯하고 눈에는 불을 밝힌 듯 일시에 모든 것이 확연하게 느껴졌다.

오래전 어린 나이에 아버지를 죽인 자들에 대한 복수심은 부족에 대한 애착으로, 사내들만이 가질 수 있는 광야를 차지하고픈 야망으로, 이런 환란의 연속과 불안정한 유목생활을 끝장낼 작정으로 그의 소명은 천하통일이 되어 있었다.

그토록 간절히 바라지만 불가능의 산을 넘기 힘들었던 대업인 제국건설이 자신의 손으로 이루어 질 수만 있다면 그는 영혼을 팔아서라도 이루고 싶었다.

그렇다, '사자의 서'다!

인생을 살면서 그는 이렇게도 확신에 넘치는 순간을 경험한 적이 없었다. 그가 천하통일의 대업을 이루기 위해서 반드시 손에 넣어야할 신물이었다. 그것은 모든 유목민들에게 전설로 남아있는 세계제왕인 그 훈족왕이 되어 주는 일인 것이었다.

그는 과감하게 자신의 운명을 시험대 위에 올리려는 것이었다.

신은 그것에 무어라 답할 것인가?

이렇듯 불빛 아래서 제베가 바라본 그는 실로 빛나는 사내였다. 그의 눈에는 불이 있었고 얼굴에는 빛이 있었다. 잠시 그의 후광에 정신이 혼미해진 제베는 과연 목숨을 바칠 주군을 만난 것이라 굳게 믿었다.

날이 밝아 오자마자 그는 언제나 전장에서 함께한 책사들과 수장들을 불러 들였다. 보르츄, 치라운, 스부타이, 제르메 등 4명이 그들이었다.

그들은 이미 그와 함께 많은 전장을 넘나들었으며 영원한 친구이자 신하들이었다. 그리고 오늘의 회의는 또 한 명의 다른 신하를 대동하고 있었는데 그것은 제베였다.

그는 사뭇 수심이 어려 있는 얼굴 이었고 전에 없이 눈을 감은 채 생각에 잠긴 듯 앉아 있었다. 오랜 세월 그를 봐온 참모들이었기에 오늘의 그의 이런 모습은 무엇인가 중대한 결정을 내릴 것임을 짐작케 했다.

얼마의 침묵이 흐르고 그가 생각을 정리 한 듯 눈을 뜨고 이야기를 시작했다.

〈모두들 오랫동안 나와 함께 했다. 내가 자무카와 결별하고 독자적으로 나설 때도 너희들은 나를 따라 주었고 쿠릴타이에서 칸의 칭호를 받고 이제 아바르에 수도를 정함으로써 우리의 제국을 건설할 기틀을 마련했다. 그런데……, 겨우, 어떻게 지탱해 왔는데 옹칸이 등을 돌리려 한다!〉

모두들 드디어 올 것이 온 것이라는 것을 알았다.

옹칸은 부족들을 모으고 부족회의를 주도하는 대부족장이었고 지금까지는 테무진과 야합하여 부족회의 쿠릴타이에서 그에게 칸의 칭호를 주기까지 했으며 타타르와 주르킨 부족 등의 원정에 많은 부족들을 동참시킴으로써 전적으로 그에게 힘을 실어 주어 그의 오늘을 있게 해왔지만 근래에 들어 옹칸은 항상 그러했듯이 배반과 야합을 거듭해서 살아남는 기회주의자였을 뿐이라는 본성을 드러내고 있었다.

〈자무카와 결별하고 독자노선을 걸은 것처럼 옹칸과 결별할 것이다! 그는 거듭해 나의 딸을 받아들이지 않아 나와 사돈 맺기를 거부하고 나의 등에 칼을 꽂고 배반하려 했다! 더 이상 그를 지켜보지 않을 것이다! 옹칸을 치고 부족회의를 장악할 것이다!〉

언제나 그의 철학은 확고했다. 그러나 옹칸은 만만한 상대가 아니므로 그는 고뇌에 싸여 있었다. 옹칸과 등을 진다는 것은 정해진 두 개의 답을 가지고 있는 것과 같았다. 몰락이든 반란이든 둘 중에 하나였다. 하지만 이제 배반에는 죽음뿐이라는 그의 철학을 보여줄 때였다. 시작은 옹칸이 먼저 하지 않았던가? 잔치에 초대하는 척하며 그를 제거하려고 군사를 보냈었다.

〈하지만 칸, 부족회의를 쥐고 있는 그입니다. 부족회의의 장들을 일일이 우리 쪽으로 설득시켜야 하는데 그것이 가능하겠습니까?〉

어린 17세의 그와 함께 부족통일의 뜻을 함께 했던 보르츄는 그의 신념을 알기에 반대할 수 없다는 것을 알고 있었다. 하지만 옹칸은 만만치 않은 상대였고 부족회의 장들은 모두 그의 편이라는 것은 커다란 장애가 아닐 수 없었다.

〈제왕의 '사자의 서'를 찾을 것이다!〉

칸의 이런 발언에 제르메와 스부타이가 놀랐다. 그들은 아주 어렸을 때부터 전설이나 설화처럼 구전되어 오던 훈족왕의 '사자의 서'에 대해 재미난 영웅이야기로 들어 왔었기 때문이었다. 또한 오늘날 이 두 형제 제르메와 스부타이가 전사가 된 것도, 칸과 함께 제국의 꿈을 키우는 이유 역시 그런 훈족의 영웅담 때문이라고 해도 과언이 아니었다.

〈'사자의 서'?!〉

〈그렇다 '사자의 서'이다! 모든 유목부족에게는 전설 속, 영웅인 훈족의 왕처럼 '사자의 서'를 얻어 모든 부족들을 회유할 것이다!〉

그의 번뜩이는 확신에 찬 눈빛을 참모들은 알고 있었다. 오랫동안 칸의 뒤에서 그를 보좌하던 그들은 그의 그런 눈빛을 몇 번 본적이 있었다. 현실성보다 강한 이상향을 꿈꾸는 칸에게 그들은 항상 현실성 있는 간언을 올렸다. 하지만 그의 눈빛은 꿈꾸는 듯 무언가를 쫒아 가고 있었으며 그 때마다 그 일은 현실화되었다.

칸이 수도를 비우는 동안을 대비해서 엄격한 경계령이 내려졌다. 수도 안팎에서 군사들이 마치 전쟁을 치루는 것처럼 철통 수비보완상태에 들어갔으며 그가 수도를 떠나 있을 거라는 사실은 철저히 비밀에 부쳐졌다.

30명의 기마병들과 5명의 참모들만을 이끌고 그는 옛 '뵈'의 땅인 토번(티벳)으로 향했다. 소량의 군사들만으로 그는 다른 부족들의 눈을 피하기 위해 밤에만 행군을 했으며 10여 일 동안 말을 달렸다.

토번의 땅에 가까워질수록 고산병으로 구토와 어지럼증을 참지 못해 쓰러지는 자들이 속출했으나 다른 이들의 눈을 피해서 잠을 자는 낮 시간 말고는 행군을 강행하였다.

이윽고 피를 토하는 중증의 환자들과 산의 중턱에서 쓰러져 죽는 말들이 생겨나는 가운데 토번국의 중심도시인 사키아에 다다랐다.

산에서 내려다보이는 도시 사키아는 참으로 견고해 보이는 성곽으로 둘러싸여 있었고 온통 회색의 성벽을 가진 무거운 분위기가 감도는 도시였다. 반면, 산에서 내려와 마주치는 도시민들은 전혀 적대감이 없었으며 몇몇 사람들은 오히려 병사들에게 먹을 것을 주며 목에 흰색 천을 걸어 주었다

도심의 궁은 상당히 크고 견고해 보였지만 망루와 궁의 입구를 제외하고는 군인이 눈에 뜨이지 않았다. 의외로 피를 보지 않고 입성한 칸의 일행은 사키아의 궁에 도달해서도 아무런 재제 없이 궁의 우두머리에게로 인도되어졌다. 궁의 내부에는 전투를 할 만한 군사나 전사 등은 전무하다시피 했다.

이런 도시가 의아하지 않을 수 없었다. 누군가에게 불신하고 적대시하며 언제나 공격의 기회를 엿보기만 하는 초원의 민족들과는

사뭇 다르다는 것에 묘한 불편함을 느끼며 또한 묘한 열등의식이 들었다. 그래서 지배자가 어떤 자인지 견딜 수 없이 궁금해질 수밖에 없었다.

이윽고 궁전 내부의 대전으로 안내된 칸과 참모일행들은 실내의 엄숙한 분위기에 무언가 다른 궁전에서는 볼 수 없는 경건함을 느꼈다.

긴 두 개의 나팔이 불려지고 북과 징을 든 자들이 연주를 시작하자 온통 회색일색인 궁전 대전의 오른쪽 문이 열리면서 붉은색 옷을 입은 자들이 여러 명 나오고 있었다. 연이어 맨 마지막에는 붉은색 옷에 주황색 천을 두르고 커다란 붉은색 두건을 쓴 자가 나왔는데 먼저 나온 붉은색 옷을 입은 자들이 모두 머리를 조아리며 존경의 표시를 했다. 이를 보고 있던 그의 일행들도 그들을 따라서 머리를 조아렸다.

그 붉은 두건을 쓴 자는 쉰 살 전후로 보였으며 20살 남짓한 붉은색의 옷과 두건의 잘생긴 청년이 그 뒤로 함께 모습을 드러내었다.

〈나는 이곳의 주인인 드락파겔이다. 그대는 누구인가?〉

〈고매하신 이 땅의 주인 드락파겔이시여! 이렇게 뵈옵니다. 나는 북쪽 초원의 나라의 칸인 테무진입니다. 위대하신 주인 드락파겔에게 감히 부탁드리옵니다. 저에게 부디 '사자의 서'를 내려주소서! 〉

그는 무릎을 꿇어야 할 때가 지금임을 알았다. 죽지 않는 한 수많은 적 앞에서는 무릎을 꿇는 일은 절대 없겠지만 백번 무릎을 꿇고 백번 머리를 조아려 얻어 낼 수 있는 것이라면 그는 그리 할 것이다.

머리를 조아리고 무릎을 꿇은 그의 주변으로 붉은색 가사를 걸친 이들은 웅성이기 시작했다. 자세한 사항은 모르겠지만 역시나 그들에게 적잖은 충격이거나 큰일임을 알 수 있었다. 서로 언성이 오고 갈 정도의 토론이라기보다는 좀 더 과격한 웅성거림과 대화들은 꽤 오랜 시간 계속 되었다. 그는 요지부동의 자세로 앉아 몸을 낮추고 있었지만 그들의 대화에 끼어 들 수도 멈추게 할 수도 없음을 느꼈다. 참지 못하고 그에게 다가온 것은 보르츄였다.

〈칸, 아무래도 일단 물러가고 나중에 다시 오는 것이 나을 듯합니다.〉

〈저들이 저리 열을 내며 대화하는 것을 보니 "사자의 서"가 여기 있음에 틀림없는 듯하네.〉

그는 거느리고 온 참모들을 이끌고 궁의 대전을 옕은 미소를 머금은 채 빠져 나왔다. 그러는 동안 대전의 토론은 점점 더 톤을 높이고 있었고 그들 일행은 병사인지 이곳의 신하인지 구분이 안 되는, 대전에서 유일하게 허리에 칼을 찬, 한 사내에게 이끌려 숙소로 안내를 받았다.

숙소에 도착하고 문이 닫혀 지자, 그는 언제나 새로운 장소를 점령하기 전에 하던 대로 작전을 지시했다.

〈제베는 믿고 우리에게 이곳의 사정이나 궁내부에 관해서 말해줄 첩보원을 매수해서 데려 오라! 그리고 제르메와 스부타이는 각 직업에 해당하는 인물들을 섭외해 오라! 치라운은 물건을 파는 상인들을 데려 오라!〉

그의 부하들은 그의 방식을 너무나 잘 알고 있다는 듯 일사불란하게 움직였다.

그가 첩보를 수집하고 이곳에 대해서 해박한 지식을 이미 잔뜩 얻은 3일째가 되었다. 수집한 첩보에 따르면 붉은색 가사의 그들은 정치가들이자 불교의 승려들이라고 하는데, 그들이 3일 밤낮을 자지도 먹지도 않고 토론을 했다고 했다. 그런데 아직도 결론을 내리지 못했는지 그를 부르고 있지 않았다.

3일째 되던 날, 그는 도시 분위기 파악을 위해 직접 부하들과 시내로 나갔다. 이미 소문이 나서인지 사람들은 그의 일행들을 의식하는 듯 여기저기서 소곤거렸다.

종교에 관심이 많은 그는 이곳의 종교에 대해서 듣기 위해 도심에 살고 있는 활불을 찾아 갔다. 활불이 머무는 집의 모퉁이를 돌자 중키의 한 남자가 그에게 다가 왔다.

〈당신이 진짜 훈족왕의 후예요?〉

재빠르게 그 남자를 제지시키는 참모들을 물리고 그는 담대하게 말했다.

〈그렇다. 나는 광활한 땅과 바다와 백성들의 왕인 왕중의 왕, 훈족왕의 후예이다!〉

〈나를 따라 오시오! 아까부터 당신들을 기다리고 계시오.〉

그는 직감적으로 무언가 알고 있는 자임을 느꼈다.

이윽고 그 자가 안내한 곳을 따라 들어가자 활불의 거처가 나왔다. 어두운 방에는 야크 기름으로 짜서 만든 초가 특유의 냄새를 발산하며 타고 있었다.

〈어서 오시오.〉

가까이에서 본 활불은 연로한 노인이었고 흰색의 가사 안쪽으로 보이는 깡마른 몸은 늘어져 쭈글거렸다. 숱이 적은 백발이 어깨를 넘어 땅바닥까지 흘러내리고 역시 숱이 적은 백발 수염을 길게 늘어뜨리고 있었다. 그런데 이 자가 아까부터 일행을 기다렸단 말인가? 어떻게 알고?

한참을 그의 얼굴을 읽듯이 쳐다보던 활불은 입을 열었다.

〈그대는 실로 훈족왕의 풍채와 관상을 가졌구려. 선이 굵고 엷으로 길게 찢어진 날카로운 눈매와 넓고 시원하게 각진 이마를 지니고 있구만. 게다가 제갈량과 같은 쥐상의 신하와 사각턱의 장군들까지 거느리고 있으니 더 이상 바랄게 없는 인물은 인물인건 확실하군.〉

활불은 잠시 같이 대동한 제베, 제르메, 스부타이, 보르츄, 치라운 등을 찬찬히 훑으며 말을 이어 나갔다.

〈하나같이 재상과 최고 장군의 관상들이니……, 참으로 놀랍군요. 이렇게 좋은 관상들을 모아 놓기도 힘들 것 같군. 당신들은 곧 제국의 왕을 받들게 될 것이요.〉

큰일을 앞에 놓고 듣는 이런 말들은 가히 기분이 나쁘지 않았으나 이 활불이 과연 무엇 때문에 이런 이야기를 하는지 그리고 무슨 말을 하기 위해 일행이 올 것을 미리 알고 기다렸는지 궁금해질 수밖에 없었다.

〈어렸을 때는 죽을 고비를 여러 번 넘기면서 참담하게 살았을지는 모르나 아내를 얻어 아들을 보는 나이가 되면 당신은 서서히 왕의 기운을 받게 되었고 세상의 중심이 되는 제국을 건설할 것이요. 그리고 천수를 누리다가 가장 위대한 명성의 시기에 장렬하게 전쟁터에서 생을 마치게 될 것이요. 그리고 그대는 훈족의 왕보다 더욱 오랫동안 제국의 왕으로 기억될 것이오. 그대의 제왕의 기운은 두 개의 거대한 기운에서 나오는 것인데, 그대는 머지않아 그 위대한 두 개의 기운을 모두 얻게 될 것이오. 그것이 그대의 운명이고 그대가 이 제왕의 운을 타고난 이유라는 것을 명심하길 바라오.〉

그는 문득 어렸을 적 보았던 샤먼 우다간(무당)의 굿이 생각났다. 부족의 안녕을 빌고 부족 간의 전쟁으로 죽은 자들을 달래기 위해서 행해진 굿판에서 우다간은 신의 계시를 받아 춤을 추다가 아직 어린 그의 앞에 서서 이러한 예언과도 같은 말들을 읊조리듯이 쏟아 내었었다.

굿판의 절정에서 눈이 거의 뒤집혀 흰자만 드러내고 거칠게 숨을 몰아쉬면서 그 우다간은 '칭기스, 칭기스!' 이렇게 외치면서 까무러치듯이 쓰러졌었다.

그런데 오늘, 그는 또 다른 자로부터 같은 식의 이야기를 듣고 있었다.

〈제가 '사자의 서'를 얻을 수 있겠습니까?〉

〈'사자의 서'는 얻고 말고 할 수 있는 것이 아니라오. 당신 마음에 따라 결정된다는 것을 아셔야 되오. 또한 당신은 그것을 얻지 않아도 운명적으로 제왕이 될 운세이지만 미래와 운명이란 만물이 원하는 대로 되는 것……, 당신은 필연적으로 '사자의 서'를 구하게 될 것이오.〉

만물이 원하는 대로라……, 그는 그 의미가 어떤 것인지 알 수 없었지만 하늘과 땅의 신들이 자신을 지지해 주는 거라고 믿고 싶었다.

〈'사자의 서'와 훈족의 제왕에 대해서 알고 계신 것이 있으면 말씀해 주십시오.〉

그는 격한 대화가 오고갈 정도로 이곳의 지배계층들이 열변을 토하던 것을 기억해내고는 활불에게 물었다.

〈'사자의 서'는 호랑이의 제왕인 위대한 문주크왕이 처음 얻었오. 그리고 그것은 봉인이 된 채 그의 첫째 아들에게 대물림 되었지만 그의 죽음으로 둘째인 아틸라왕에게 전달이 되었지. 위대한 문주크왕의 아들들은 그것이 어떤 것인지 아버지로부터 교육을 받았고 또한 그것에 압도당하면 화를 당하게 됨도 함께 배웠소. 결국 아틸라왕은 단지 자신의 개인적인 애정 문제로 '사자의 서'의 통제력을 잃었고 그것에 대한 결과는 참담했지. 아틸라의 왕국은 그 이후 몰락의 일로를 걸었고 세 명의 아들 중 셋째만이 겨우 목숨을 부지해서 아버지인 아틸라왕의 유언대로 '사자의 서'를 되돌려 놓는 일을 맡게 되었소. 셋째 이르네크왕자는 집요하게 쫓아오는 게르만의 군사를 따돌리고 결국 '사자의 서'를 원래 있던 곳으로 되돌려 놓고는 여섯 번째 황금보검의 봉인자인 미주크왕(미추왕)이 세운 동쪽 끝에 위치한 여섯 번째 형제의 나라로 도망쳤다고 전해진다오.〉

〈동쪽 끝, 여섯 번째 형제의 나라? 그 나라가 어디입니까?〉

〈그 나라는 '세나벌'이라 불리었소. (sena-bal; 라틴어로는 '여섯 번째 집행관'; 한국말로는 '서라벌'; 나중에 '신라'로 바뀜; 이것은 저자의 의견임을 밝혀둠)〉

〈그리고 두 개의 거대한 기운이라고 했는데 그것이 무엇입니까?〉

〈그것은 음과 양의 거대한 기운이요. 만물이 움직일 수 있는 원리이자 생명의 소용돌이인 기운을 말하는 것이오.〉

〈생명의 소용돌이……?〉

도심의 활불에게 다녀온 저녁에 궁내부에서 전갈이 왔다. 그들의 부름을 받아 대전에 다시 섰을 때는 그들이 어떤 토론의 결론을 내었더라도 당당하리라는 알 수 없는 자신감으로 가득한 그 자신을 발견하고 있었다.

붉은색가사 차림의 승려들이자 정치가들과 지배자인 드락파겔이 일행을 기다리고 있었다. 그리고 시종들에게 무언가 이르더니 의미심장한 표정으로 그를 주시하였다.

〈우리는 그대의 요구를 신중하게 토론 하였다. 그리고 그대가 원하는 물건은 세상의 평범한 물건이 아니며 또한 평범한 인간이 범접할 수 있는 것도 아니다. 그리고 우리는 호랑이의 제왕인 훈족왕

의 후예만이 이것에 도달할 수 있다고 여긴다. 어서, 그것을 가져오라!〉

시종 두 명이 길쭉한 상자를 양옆으로 받쳐 들고 가져 왔다. 그 상자에는 호랑이 문양 같기도 하고 사자 같기도 하고 어찌 보면 용의 모양과 같은 금박문양이 새겨져 있었다.

〈그대가 진정 훈족의 후예라면 호랑이 왕인 위대한 문주크왕의 예언대로 그대는 이 검을 깨워야 한다. 그것이 우리의 결정이다.〉

이것은 전혀 예측하지 못한 상황이었다.

검이라니……!, 그것도 훈족왕의 검이라니……!

하지만 이제 와서 어찌할 도리는 없었다.

그는 시종들로부터 검의 상자를 받아 들고 상자의 뚜껑을 열기위해 금박문양의 걸쇠를 잡았다. 순간 걸쇠가 불속에 달구어진 쇠 마냥 뜨거워지며 급기야는 붉게 달구어 지기 시작했다. 이 상황에서 그가 할 수 있는 것은 빠르게 걸쇠를 젖히는 수밖에는 없었다.

'쿵!'

걸쇠가 젖혀진 상자에서 녹이 슬은 긴 칼이 나타났다. 긴 직선형의 양날의 검이었다. 손잡이는 금장식으로 되어 있고 호랑이 문양과 삼태극 문양이 새겨져 있었다.

그가 칼을 잡으려는 순간.

〈앗!〉

그의 손바닥은 눈 깜짝할 사이에 칼에 깊이 베여 있었다. 금세 붉은 피가 뚝뚝 떨어 졌으나 알 수없는 일이었다. 이렇게 녹슨 칼에 손이 베이다니!

이내 대전 안은 또 다시 시끄러워졌다. 이런 소란을 잠재우고 드락파겔이 말을 이었다.

〈그대는 훈족의 후예가 아니다! 그대는 호랑이왕인 문주크왕의 후

예가 아니란 말이다!〉
드락파겔의 목소리는 노여움이 묻어 나왔다.
〈그렇습니다. 저는……, 위대한 제왕인 문주크왕의 후예가 아닙니다. 하지만 저는 '사자의 서'를 꼭 얻을 것입니다. 아주 오래전 훈족왕처럼 저는 또 다른 이름의 제왕이 될 것입니다. 훈족왕이 800년 전 해냈다면 저 또한 할 수 있습니다!〉
대전은 웅성거렸지만 그의 눈빛은 빛나고 있었다.
〈위대한 드락파겔이시여!〉
조용히 드락파겔의 옆자리를 지키고 있던 20세 남짓의 청년이 말을 꺼냈다. 일순간 어수선함이 사라지고 모두들 경청하는 눈치였다.
〈오! 꾼카, 어서 말해 보거라.〉
드락파겔 역시 이 청년을 사랑스러운 눈으로 바라보며 귀를 기우렸다.
〈'사자의 서'를 찾으러 '호랑이의 둥지'에 가려면 '눈의 둥지'를 지나야 합니다. 이는 평범한 사람의 힘으로는 불가능한 걸로 아옵니다. 또한 '사자의 서'는 평범한 인간이 구할 수 없는 것이라 알고 있습니다. 저 자가 그 두 개의 둥지에서 살아서 돌아오는 것만으로도 그는 능히 제왕 감이 될 수 있다고 생각하옵니다. 한편, 그가 평범한 인간이라면 영원히 그 둥지에서 멸할 것입니다. 그러니 그에게 기회를 주심이 어떨는지요.〉
맑고 정확한 어조로 빛나는 눈의 소유자인 청년 꾼카는 이렇듯 영특하게 말하였다. 이후 그의 득세 시절에는 그의 명성이 '사키아 팬디타'라는 이름으로 인도에 까지 자자했다고 전해지니 그의 명석함은 시대가 인정한 것이리라.
〈나의 뒤를 이어 이 나라를 통치할 군주는 꾼카 갤첸이니라. 그러

니 이번일의 결정여부를 다음 군주인 너에게 내 맡기리라.〉

또 한 번의 술렁거림을 잠재우며 청년 꾼카는 단호하게 역설하였다.

〈나의 군주 자리를 놓고, 만약 이 자가 '사자의 서'를 얻어 무사히 귀환한다면 나는 그를 우리의 또 다른 세계제왕으로 모실 것이다! 만약 살아 돌아오지 않는다면 다시 호랑이의 제왕의 부활을 기다리며 '사자의 서'와 '제왕의 검'을 지킬 것이다!〉

〈꾼카 갤첸이시여, 제가 만약 무사히 돌아온다면 세계제왕으로서 토번국의 평화를 보장 드리며 형제의 나라가 될 것을 맹세 드립니다! 또한 당신들의 종교를 국교로 삼을 것입니다!〉

그는 도심에서 만났던 활불을 떠올렸다. 어떻게든 '사자의 서'를 얻게 될 거라고 그가 호언장담하지 않았던가? 그의 예언이 옳았다. 아니 옳게 만들 것이다.

일부의 병사들을 남기고 20명 남짓의 인원만으로 원정대를 꾸린 그의 일행은 눈의 둥지를 향해 여정을 시작하였다. 이제는 고산지대에 익숙할 만도 한데 여전히 높은 지대는 버거웠다. 그리고 드디어 더욱더 높은 흰색의 벽이 그들의 앞을 가로 막고 있었다.

〈저것인가?〉

〈네, 그렇습니다. 히마(눈), 알라야(둥지)입니다.〉

〈히말라야라……!〉

2. 눈의 둥지 히말라야

그의 참모들과 병사 20명의 원정대에는 두 명의 토번국 승려들이 합류 하였다. 웅대한 설산의 백색 벽을 배경으로 눈의 둥지로 향하는 그들의 여정은 순조로웠다.

계곡에서는 설산으로부터 빙하가 녹아서 흘러 내려오는 맑은 물이 말들의 목마름을 채워 주었고 낮은 산들마다 층층이 밭을 갈아 채소를 심어 놓은 모습은 영락없는 한가한 시골의 풍경이었다.

밭마다 거름을 준 구리구리한 냄새가 계곡을 타고 퍼져나가고 늦여름의 더위를 가시는 한줄기의 써늘한 백색바람은 설산에서부터 불어와 목덜미를 스치고 지나갔다.

말을 타고 계곡들과 산하를 넘나드는 그들의 여정은 거대한 설산의 바로 앞에까지 이르렀다.

저물어가는 해는 설산이 금으로 만들어진 것이 아닐까 착각할 정도로 누렇고 빛나는 황금빛으로 물들이고 있었다. 그 황금 산 바로 밑자락, 저녁을 짓는 연기가 굴뚝마다 모락모락 올라오는 작은 마을이 나타났다.

마을에는 돌을 쌓아 올리고 흙으로 그 틈을 메워 넣은 형태의 작은 집들이 여러 채가 옹기종기 모여 있었다.

〈이곳이 셰르파족의 마을입니다.〉

사키아에서 함께 원정대에 합류한 두 승려 중에 한 사람인 케장의 의견에 따라 이 마을에서 히말라야 입산에 필요한 안내인을 구하고 하룻밤 머무르기로 하였다.

고산들이 산재한 곳이라 일몰이 빠르다 싶더니 이내 드러난 백색의 설산들이 달빛에 환히 빛을 발산하며 그 신비한 위용을 드러내고 있었다.

숙소로 정한 한 셰르파족 집에서는 아낙네가 줄을 걸친 망태 바구니를 머리에 메고 와서 저녁거리로 먹을 음식들을 내려놓았다. 그 망태안속 특이하게 생긴 항아리에는 금방 짠 듯한 야크의 우유가 가득했고 가죽으로 만든 넓적한 주머니에서는 보리를 갈아서 만든 고운 가루가 나왔다.

저녁을 마친 후 숙소 안으로 한 사내가 모습을 드러내었다.

〈셰르파족 사람인 텐징입니다.〉

머리에 두른 두건을 냉큼 손으로 쓸어 벗어 다소곳이 손에 움켜쥐고는 말없이 고개를 조아리며 인사를 건넨 사내는 키가 작고 건장한 이였다.

〈눈의 둥지인 히말라야에 들어가려면 반드시 이들 셰르파족의 안내를 받아야 합니다. 그것은 그들만이 이 눈의 둥지에 들어 갈 수 있는 인(印)을 신들로부터 받고 태어났기 때문입니다. 그들만이 눈의 둥지를 넘고 다시 되돌아 올 수 있도록 길안내를 할 수 있습니다.〉

승려 케장이 이곳에 온 필연적인 이유를 설명하고 있었다.

하늘아래 신들로부터 선택되어 저 험준한 산하를 넘나든다고? 왜 하필 그들이?

〈허허허, 신명을 받드는 일을 하는 사람이군. 내 그대를 내 사람으로 만들어 모든 산들을 내 것으로 만들어야겠네. 허헛!〉

드넓은 세상에 많은 종류 사람들 가운데 그런 사람들이 있다는 것이 그를 너털웃음 짓게 했다.

〈소인은 누구의 소유가 아닙니다. 저희 일족들은 대대로 이 눈의 둥지 밑에서 살아오며 아주 먼 조상들 때부터 그 소명을 지키면서 삽니다. 저희는 이곳을 떠나서는 살 수 없습니다. 떠남은 곧 죽음에 이릅니다. 저 히말라야는 저희 일족의 생명줄입니다.〉

셰르파족의 텐징은 차분하고도 단호하게 그의 비웃음도 그의 어떤 군림도 거절하였다.

이내 그의 얼굴에 웃음기가 가시었다.

텐징은 가죽으로 만든 작은 두루마리를 펼치더니 그의 앞 탁자에 놓았다. 그것은 눈의 둥지의 지도인 듯했다.

그리고는 손가락으로 한 지점의 위치를 짚었다.

〈이곳이 지금 우리 마을입니다. 이곳은 우리가 넘어가야할 곳입니다. 주변의 지형 중에서 제일 낮은 곳이지만 산과 산의 계곡에 위치해 있어 빙하가 굴러 떨어지거나 산사태의위험이 도사리고 있어 우리는 산의 등허리를 우회해서 이 봉우리를 넘을 것입니다.〉

그는 잠시잠깐의 자신의 우둔함과 거만함을 자책하였다.

여기가 전쟁터라고 한다면 우두머리는 바로 텐징인 것이다. 또한 최고의 책사 역시 텐징이다.

무엇이 그리 잘났단 말인가?

무얼 그리 자만했던 것인가?

이곳에서는 그의 훌륭한 장수들과 영특한 참모들보다 그에게는 텐징이 있어야만 한다. 아니 그 뒤를 따라야만 한다.

자책에 자책을 하고 있을 때, 밖에서 분명 하늘이 맑았음에도 불구하고 천둥치는 듯한 소리가 들리었다.

'구르르르릉! 콰광!'

모두들 놀라서 동요하고 있을 때쯤 연이어 더 큰 소리가 들렸다. 짐작컨대 눈사태나 빙하가 굴러 떨어지는 소리정도이리라.

이에 셰르파족 텐징이 입을 열었다.

〈저것은 용이 울부짖는 소리입니다.〉

〈…….〉

그날 밤 밤새도록 그런 천둥소리는 간헐적으로 들렸고 그는 험난할 것으로 예상되는 여정에 잠을 이룰 수 없었다.

다음날 아침 거의 뜬 눈으로 밤을 지새운 그는 싸늘한 아침공기를 맞으며 밖으로 나왔다. 겹겹이 둘러싸인 산들로 인해서 막 솟아오른 태양 빛은 비단을 포개 놓은 빛의 폭포를 보듯 햇빛을 쏟아내고 있었다.

'두둥둥둥둥둥둥…….'

어디에선가 징소리가 들리고 있었다.

마을 어귀에 돌탑을 쌓아 올리고 여러 개의 형형색색의 깃발을 매단 기다란 끈이 그 돌탑을 휘휘 감고 있었으며 돌탑을 중심으로 주변의 나무들과 연결해 깃발들을 빨래 열듯이 연이어 놓았다.

그 돌탑 앞에서 어제 그에게 이곳의 우두머리 장수는 자신임을 아로새겨준 텐징이 절을 하고 있었다.

몇몇 사내들은 그의 뒤에 서서 그를 지켜보고 있었고 흰색의 가사를 걸친 동네의 활불이 해골을 끼운 기다란 막대기에, 아니 자세히 보니 그것은 막대기가 아니라 인간의 다리나 팔의 뼈인 것 같았다. 어쨌든 해골에 물을 묻혀 텐징에게 털어내고 있었다.

징소리가 더 크게 울려 퍼지고 있었다.

해가 산에서 떨어져 하늘로 솟아오르자 징소리는 그치고 참모들과 병사들도 발 빠르게 여정 준비에 들어갔다.

나흘 동안 먹을 야크고기를 말린 육포와 보리 가루를 짐에 챙기고 말은 모두 마을에 두고 최소한의 짐을 꾸렸다.

작은 배낭을 멘 텐징이 제 의식을 마치고 나타났다. 양 볼에는 야크의 피를 칠하고 있었다.

원정대의 출발은 마을에서는 큰 행사인 듯하였다. 마을 사람들 전부는 그들이 나가는 마을 어귀를 일렬로 서서 그들은 격려하였다. 활불도 선두에 서서 해골막대기를 높이 치켜들어 올리었다. 동네 한 바퀴를 도는 의식이 끝나고 원정대는 드디어 출발하였다.

마을이 점점 멀어 지고 사람들의 격려소리도 잠잠해졌다.

이제 저 백색의 난공불락과 원정대의 사이에는 침묵만이 남아 있었다.

원정대의 여정이 시작 될 때쯤부터 검은 개가 한 마리 쫒아 오더니 이내 앞서서 계속 걷고 있었다.

이 녀석이 우습게도 원정대가 뒤쳐진다고 생각하면 뒤를 흘긋흘긋 돌아보며 기다리다가 원정대가 다가오면 앞장서 다시 걷고는 하는 것이었다. 그리고는 설산의 입구 부분에 다다라서 잠시간의 휴식을 취하는 중 덥석 앉아서 같이 휴식을 취하다가 육포를 던져주면 넙죽 받아먹는 것이었다.

모두들 흥미롭게 검은 개를 보았지만 사람이 다가와 만져도 전혀 경계 없이 잘 놀다가 경사 가파른 눈밭에서 서로의 허리를 연결해 밧줄을 감고 있을 때 녀석은 유유히 사라져 버렸다.

〈저 개는 무엇인가? 누구집개인가?〉

그가 무척 궁금하다는 듯 셰르파족 텐징에게 물었다.

〈저 개는 누구의 개도 아닙니다. 한마디로 그냥 들개입니다. 그런데 항상 저 녀석들이 설산의 입구까지 사람들을 안내하고는 가버리죠. 아무도 이유를 모릅니다. 아마도 우리 셰르파족과 같은 운명을 타고난 것이겠죠.〉

텐징은 빙긋 한번 웃으며 천연덕스럽게 하지만 진심인 듯 말하였다.

아직 여름의 끝자락이라서 거머리들이 달겨들어 피를 빨아 내었다. 이런 것들을 다 제거하고는 가파른 등반이 시작되었다.

인간의 입산을 거부 하는 듯한 설산의 위협적인 날카로운 꼭대기에는 하얗고 빛나는 흰빛의 가루들이 흩날리고 무심히 나타났다 사라지는 구름들이 반복적으로 그들의 입산을 맞이하고 있었다.

〈오늘은 날씨가 그래도 좋은 편입니다. 우리 셰르파인들은 히말라야의 높은 봉우리들을 '초모룽마'라고 부릅니다. 그것은 이곳의 봉우리에서 만날 수 있는 한 사람 때문입니다.〉

가파른 산을 가볍게 오르던 셰르파 텐징은 다짐이라도 받듯이 잠시 서서 그의 눈빛을 살피며 말했다.

〈아니 이런 높은 곳에 사람이 산단 말인가?〉

그가 의아해하며 텐징에게 되묻자 이내 기다렸다는 듯이 말을 이었다.

〈'초모룽마'는 '어머니를 찾는 신'이란 뜻입니다.〉

무슨 뜻인지 도무지 알 수 없는 이야기에 그는 그냥 흘려들었다.

산의 봉우리에 채 다다라지도 못하고 해가 지고 있었다.

원정대는 산의 중턱에서 천막을 치기 시작했다.

해가 지기 시작한 산은 칼로 살을 에일 듯 매서운 바람이 불어들었다. 그리고 늦은 밤 막사 안은 건조한 공기로 인해서 숨을 제대로 쉴 수 없을 지경이었다.

이렇게 그 밤도 제대로 잠을 못 자고 지새울 수밖에 없었다.

다음날의 일기는 좋지 않았다.

원정대는 일찌감치 천막을 정리하고 봉우리를 넘기 위해 출발을 했지만 눈과 함께 바람까지 세차게 불어 앞을 제대로 볼 수도 없고 숨을 제대로 쉬지 못해 행군은 쉬었다 가다를 반복하며 더딜 수밖에 없었다.

그때였다.

여정을 시작하기 전날 밤 셰르파족 마을에서 밤새 들었던 그 소리가 귀 고막을 찢을 듯이 바로 머리 위에서 울리었다.
'구르르르릉!'
마치 지진이 난 것처럼 발밑이 울리기 시작한다고 느낄 때에 누군가 〈엎드려!!〉 외치는 소리와 더불어 눈보라인지 눈뭉치들인지 모를 거센 힘에 눌리어 몸이 떠밀리어 가기 시작했다.
그 순간!
거센 눈의 소용돌이처럼 긴 굴속에 빠져 들어 가고 있다는 느낌과 함께 정신이 아득해 오며 꿈과 현실의 경계마저 느껴지지 않을 만큼 혼미해졌을 때!
그는 보았다.
항상 사내 마냥 당당하시던 그의 어머니였다.
〈어머니!〉
그는 떠지지 않는 눈을 억지로 뜨려고 애를 쓰며 이미 세상을 떠나버린 그의 어머니의 손을 눈의 소용돌이 안에서 잡으려 했다.
〈테무진……! 〉
어머니는 단 한 번도 테무진을 나무란 적이 없었다.
그녀는 어느 누구보다도 씩씩했으며 어느 누구에게도 굴하지 않았다. 그리고 초원의 모든 생명들을 사랑하셨다. 집을 잃은 들짐승이며 작은 풀들도 귀히 여기고 고아들을 내 자식처럼 받아 들이셨다.
그녀는 운명을 받아들이며 그 운명아래 모든 것들을 긍정하는 법을 그녀가 인생을 사는 방식을 통해 그에게 가르쳐 주었다.

거대한 바람이 불면 거스름 없이 바람에 몸을 맡기되 운명을 믿을 것을……

그가 아무리 원대한 꿈을 가진 장수이며 세상을 발아래 두는 제왕이 된다하더라도 한 여인의 뱃속을 빌어 잉태된 생명인 것을……

점점 등허리를 죄어드는 육중함 때문에 마치 꿈속에서 깨어나듯 고통으로 인해 현실감이 살아났다.

위에서 짓누르는 압박감은 그가 버티기에는 너무나 큰 힘이었다. 그는 안간힘을 써 보았지만 그럴수록 헤어 나갈 수 없다는 것이 자명하게 느껴졌다.

몸의 모든 힘을 빼고 모든 희망과 욕망, 모든 원망을 내려놓았다. 그리고는 시간이 지나갈수록 거센 눈의 압박으로 인한 고통과 숨막힘에 이제는 죽음과 마주하며 마지막 순간을 기다리는 수밖에는 아무것도 할 것이 없음을 알았다.

그의 일생의 모든 기억들이 일순간 육중한 눈의 무게처럼 온 몸 구석구석에서 고통스럽게 스쳐갔다.

배신에 배신을 거듭했던 그의 형제와 친구들.

그들에게 쫓겨나 고향을 떠나야만했을 때 다짐했던 젊은 날의 복수심.

아내 보르테에게서 처음 느꼈던 사랑.

부모님의 죽음.

바이칼 호수 주변을 달리던 야생마 같았던 인생.

운명과도 같았던 피로 맹세한 전장의 형제들과의 만남.

수많은 전쟁터에서 맞이했던 승리의 순간들.

이제 끝인가?

여기 까지 인가?
이렇듯 그가 바람 앞의 촛불처럼 삶의 희망을 놓아 버렸을 때였다.
〈아말라! (어머님이시여)〉
눈 속 아득히 멀리서 누군가의 목소리가 속삭이는 듯 들려왔다. 곧이어 누군가가 그의 손목을 굳게 붙잡았다.
퍼뜩 정신 줄을 다 잡은 그는 있는 힘을 다해 손목방향으로 몸을 빼려 애를 썼다. 하지만 몸은 쉽게 빠지지 않았다. 얼마 뒤 몸을 누르던 육중함이 덜해진 것을 느낀 그는 손목을 잡은 이의 손목을 다잡고는 눈구덩이 속에서 몸을 빼낼 수 있었다.
그의 무덤이 될 뻔 했던 그곳에서 굳게 잡은 손으로 그를 끄집어내어 준 것은 허리 밧줄 바로 앞에 묶여 있었던 텐징이었다.
〈숨을 쉬세요!〉
몇몇의 부하들이 산사태로 굴러 떨어진 커다란 얼음 덩어리를 들어 올려 그를 살린 것이었다. 눈구덩이에서 나온 병사들은 눈 속을 파헤치고 빙하를 제거하고 파묻힌 동료들을 구하였다.
〈테무진! 맨 뒤에 따라오던 병사가 실종된 듯합니다!〉
〈찾으라! 산을 못 넘어도 좋다! 사자의 서를 찾지 못하여도 좋다! 눈을 파헤쳐 꼭 찾으라!〉
눈보라 속에서 원정대 모두는 눈 속을 날이 어둑해져 올 때 까지 샅샅이 뒤졌지만 결국 그 모습을 찾을 수 없었다.
〈날이 어두워져 오늘은 그만 천막을 치고 내일 찾는 것이 현명할 듯합니다. 더군다나 이런 눈보라 속에서는 지금 수색을 계속하는 것은 나머지 사람들에게도 위험합니다.〉
텐징의 말에 따를 수밖에 없었다.
천막을 치고 막사 안에 들어간 이들에게 텐징은 일일이 돌아다니며 허리에 차고 있던 가죽 물병을 꺼내어 사람들에게 무언가를 따라 주고 마시도록 시켰다.

〈무엇인가?〉

〈보리로 빚은 술을 다시 증류한 보리술입니다. 몸을 녹이는데 도움이 될 것입니다.〉

죽음의 순간을 넘나들었던 하루였다.

그리고 한명의 병사가 실종되었다.

밖은 무서운 소리를 내며 언제라도 그들의 보잘것없는 막사들을 날려 버릴 듯 날카로운 칼날바람이 도사리고 있었다.

하지만 모두는 술기운에, 안도감에, 노곤함에 금세 잠에 빠져 들었다.

〈허···억······!〉

숨을 몰아쉬면서 그가 벌떡 일어났다. 그리고는 주변을 살폈다. 그의 꿈속에서 그를 압박하던 공포의 백색 벽은 사라졌다.

참으로 요상하게도 어제 밤 자기 전에 마셨던 술 때문인지 피로감도 없어졌고 머릿속이 바이칼 호의 6월의 물 마냥 깨끗하였다.

그는 몸을 일으켜 막사 밖으로 나갔다. 막사들은 눈이 수북이 덮여 있었다. 어제 휘몰아쳤던 눈과 바람의 적군들은 일망타진 된 듯이 적막하기만 하였다.

이럴 수가!

보름달에 비친 히말라야란 참으로 두 얼굴의 여인이었다. 달빛에 반사된 눈은 빛을 발하는 하얀 꽃길을 깔아 놓은 듯 했다.

마치 시간이 정지된 듯 느껴졌다.

어제의 그곳 눈의 둥지는 도망치고 싶도록 참혹한 백색의 지옥이었다. 그런데 지금 눈앞에 펼쳐진 눈의 둥지는 너무나도 탐나는 신비의 비밀정원 같았다.
이곳은 필연적인 운명과도 같은 공간이었다. 피해 갈 수도 소유할 수도 없는 인간의 삶과 참으로 닮아 있었다.
얼마 지나지 않아 원정대 일행들이 하나 둘 씩 깨어났다.
오전 동안에는 실종 병사의 수색을 하였지만 눈이 쌓여 버린 산에서 그 속의 누군가를 찾는다는 것은 불가능했다.
해가 산의 중턱에 꽂혔을 때 그는 수색을 중지하고 다시 등반을 명령하였다.
정상에 가까워지면 질수록 숨을 제대로 쉴 수 없었다. 정신도 생각이란 걸 할 수 없을 정도로 멍해져 왔다. 오로지 살아야겠다는 원초적인 생각뿐.
게다가 손과 발은 이미 감각을 잃어 먹먹했고 귀도 역시 먹먹한 건 마찬가지였다.
세상 많은 곳을 다녀 봤어도 무릎이 이리 찢어 질 듯 아픈 경험은 앞으로도 없을 거란 생각이 들었다.
원정대 상호간은 서로 목소리도 내기가 힘들었으며 설사 목소리를 내어도 알아듣기 힘들었다.
그래도 천만다행인 것은 날씨가 좋아 어제 그런 눈 폭풍우가 쳤었는지 의문이 생길 정도로 하늘은 호수 빛 그 자체였다. 다만 몰아치는 바람은 그 위세가 대단했다. 세상의 어떤 새도 떨어뜨릴 정도로 드세었다. 그러고 보니 정말 새란 놈들은 설산 입구서 부터도 씨가 말린 듯 했다.
원정대 일행은 그날 오후 봉우리의 정상에 오를 수 있었다. 모든 것이 발아래 놓인 그 정상이란 곳은 쉽지 않은 여정으로 얻어진 것이었다.
셰르파족 텐징이 정상의 봉우리에 다다르자 양보하듯 첫발을 그에게 내어 주었다.

거대한 세상의 꼭대기인 신들의 거처에서 굽어보는 말로 표현 안 되는 경외감이 들었다. 세상의 모든 산들과 모든 땅들 모든 인간들이 그의 발아래에 있었다. 하지만 이런 광경은 살아남은 자들에게만 허락된 것이었다.

결국은 이 꼭대기를 넘기 위해 자신의 목숨을 걸어야만 할 것이다. 그러나 저기 보이는 산이 넘기 어렵고 힘들 것이라는 생각에 지배받는 인간은 결코 그 산의 진면목을 볼 수 없을 것이다.

인간이란 자신의 마음이 정한 만큼만 볼 수밖에 없는 것이리라. 또한 인간이란 아무리 거대한 욕망을 가졌어도 어쩔 수 없이 자연에 귀속된 것이리라.

그는 세상의 가장 높은 곳에서 가장 작아진 자신을 발견했다. 운명에 던져진 그의 인생여정은 거대한 대자연의 계획의 단지 일부분일 뿐임을 깨달았다.

산의 반대편 내리막이 시작 되면서 긴장이 풀려서 인지 원정대의 건강들이 심상치 않았다. 막사를 치면서 그는 원정 대원 하나하나에게 돌아다니면서 격려를 잊지 않았다.

〈힘을 내게. 이제 내일이면 산을 내려 갈 수 있네.〉

이에 셰르파도 거들면서 말하였다.

〈내려가는 것은 훨씬 쉬우니 덜 힘들 겁니다.〉

다음날 일찍부터 하산을 시작한 원정대는 평지에 가까워질수록 생기를 찾는 듯하였다.

산의 중턱쯤 다다랐을 때, 원정대는 멈춰 섰다. 언제 인지 가늠할 수 없지만 마치 어제인 것처럼 얼어서 죽은 시체였다. 중키의 남자였고 중년쯤 된 힌두인(인도인)인 듯해 보였다. 행색을 보아 하니 라마교의 승려인 듯했다.

페르시아인들의 침공으로 알라신을 믿지 않는 힌두의 라마교 승려들이 토번국으로 도망을 치기 위해 종종 눈의 둥지를 넘는다는 소문은 듣고 있었다.

〈사체를 아래 마을까지 운반하는 게 좋겠소.〉

토번국 승려 케장이 말했다.

원정대는 사체와 그 물건들을 나무지팡이 두 개와 막사의 천으로 받쳐 들고는 하산을 재촉했다. 산을 거의 내려 왔을 때 마을이 내려다 보였는데 마을전체가 연기에 자욱하게 휩싸여 있었다.

마을로 내려가면서 셰르파 텐징은 손에 작은 종으로 울리며 외쳤다.

〈바가바나키 푸자! 바가바나키 푸자! (힌디어; 신을 경배하라)〉

이 소리 때문이었는지 마을에서는 하나 둘 사람들이 몰려들었다. 그들은 원정대에게 먹을 감자와 물을 주고 흰색의 천을 목에다 둘러주면서 텐징과 똑같이 외치었다.

〈바가바나키 푸자! 바가바나키 푸자!〉

그날 저녁 그들은 마을 사람들에게서 특별한 대접을 받았는데 저녁으로는 야크고기를 먹을 수 있었고 옷을 모두 벗으라고 하더니 안내한 곳은 다름 아닌 따뜻한 물이 나오는 연못이었다.

〈이곳에 오신 것은 행운입니다. 동상이 걸린 발과 손은 잘못하면 자칫 썩을 수 있거든요. 하지만 이곳 스파(힌디어; 온천)에 몸을 담그고 있으면 절대 동상에 걸릴 일은 없습죠.〉

맘씨 좋게 생긴 마을 노인이 안내를 해주며 일러 주었다.

따뜻한 물에 몸이 녹을 듯이 노곤해져 있는데 다음 안내된 곳은 마을의 큰 마당인 듯했다. 마을의 처녀들이 원뿔형의 뾰족한 대나무 모자를 쓰고 이마에는 치렁치렁 금속을 달고 있었는데 가만히 보니깐 숟가락처럼 생겼다.

이윽고 흥겨운 북과 노랫가락 소리가 들리고 처녀들은 둥글게 손잡고 춤을 추기 시작했다. 흥에 겨워 그와 그의 일행들은 모두 그날 밤 아무런 시름없이 이국적인 정취와 살아 있다는 안도감을 느끼며 마음껏 즐기었다.

다음날 아침 그들이 간 곳은 마을의 산자락 아래의 많은 이들의 무덤이 있는 곳이었다. 마치 산과 마을을 이어주는 자연의 일부인 듯 자연스럽게 위치한 무덤가였다.

원정대 일행은 어제 히말라야 산자락에서 유명을 달리한 라마교 승려를 묻어 주었다. 그 후 승려 케장이 불교의 만트라를 외우기 시작했다.

이제 죽은 자들은 이곳에 누워 넘고자 했던 산의 일부가 되어 운명적인 계획에 일부가 되었으리라.

그가 그런 것처럼.

제 1장. 또 다른 제왕 3

3. 호랑이의 둥지 샴발라

히말라야……, '눈의 둥지' 아래 자리한 조그만 온천 마을의 밤은 차가운 백색의 죽음을 넘어서 나타난 이방인들을 위해 그렇게 성대하고 요란스럽게 지나가고 있었다.

처녀들의 신비하고 이국적인 춤을 감상하던 그에게 승려 케장과 남카가 슬쩍 다가와 눈빛으로 잠시 볼 것을 청하였다.

그들은 일행들의 즐거운 춤 잔치에서 슬그머니 빠져 나와 잠시 숙소로 향했다. 마을의 족장이 알선 해준 거처는 안락하고 편안한 침상과 긴 탁자와 의자가 놓여 있어 족장의 배려가 묻어 나왔다.

〈무슨 할 말이라도 있는 것인가?〉

그는 마을 족장이 권한 몇 잔의 보리주에 기분이 좋고 편안한 상태였다.

〈예……, '눈의 둥지'를 넘어 무사히 여기 까지 왔지만……, 사실 '호랑이의 둥지'는 이것과는 또 다른 위험과 고난이 기다리고 있을 것입니다.〉

가만히 들여다보니 승려 케장의 얼굴이 그 며칠 동안에 많이 상해 있었다. 40대 정도 되어 보이는 그의 얼굴살이 밀대로 밀어 쭈그러진 보릿가루반죽 마냥 주름이 늘어져 있었다.

〈각오는 되어 있네만……. '사자의 서'는 어떻게 구할 수 있는 것인가?〉

〈내일 밤쯤에 도착할 파로 마을의 키츄라캉사원에서 노르부라는 승려를 만나시게 될 것입니다. 그 분이 우리를 '호랑이 둥지'까지

안내해 줄 것입니다.〉
〈'호랑이 둥지'에 가면 '사자의 서'를 찾을 수 있는 것인가?〉
갑자기 승려 케장이 그의 질문에 그를 잠시 잠깐 동안 뚫어지게 쳐다보다가 천천히 눈치를 보며 설명을 이어 나갔다.
〈테무진……, '사자의 서'는 책이나 두루마리 같은 읽는 것이 아닙니다. 그것은……, 저절로 읽혀지는 것입니다. 또한 이 세상에는 존재하지 않는 물건입니다. 이제까지 '사자의 서'에 대해서 어떤 생각을 가지고 계셨다면, 지금 이 순간부터는 가지고 있던 모든 선입관을 버리시길 바랍니다.〉
〈아니, 책이 아니란 말인가?! 그럼 도대체 그게 무엇이란 말인가?!〉
〈제가 한 가지 이야기를 들려 드리겠습니다. 먼 옛날 한 농부가 산에서 가파른 암벽을 헤매다가 작은 굴에 빠져 들어 갔다고 합니다. 그런데 그 굴 안이 점점 커지더니 복숭아꽃이 만발해 있는 마을이 나타났다고 합니다. 그곳에는 불로장생의 우물과 기름진 밭이 있고 사람들은 평화롭게 웃으며 살고 있는 무릉도원이었다고 합니다. 그는 그곳에서 안락하게 오랫동안 살다가 다시 자신이 사는 곳으로 돌아왔는데 그 후, 아무리 수소문해서 찾아도 그곳을 찾을 수 없었다고 합니다.〉
그는 도무지 이런 전설 같은 이야기를 들어야 이유를 알지 못해 이맛살을 찌푸리며 물었다.
〈근데, 그 이야기와 '사자의 서'가 무슨 상관인가?!〉
〈이 이야기속의 무릉도원이 바로 '호랑이의 둥지'이기 때문입니다.〉
〈허헛! 그럼, 우리가 가야할 곳이 무릉도원이란 말인가?〉
〈아닙니다! '사자의 서'가 있는 '호랑이의 둥지'에는 무릉도원도

극락정토도 없습니다. 또한 사람들이 말하는 샴발라니 샹그릴라니 하는 것도 존재치 않습니다. 그것은 모두 인간의 의식이 만들어낸 허상 같은 것입니다. 지금부터 제 말을 명심하십시오. 그 곳은 시간의 중간계요, 공간의 중간계요, 의식의 중간계입니다. 그리고 삶과 죽음의 중간계이기도 합니다.〉

그는 이해가 되지 않았다.

〈중간계?!〉

〈그곳은……, '바르도 퇴톨'이라고 불리 우는 곳으로 죽은 영혼들이 다시 모여 49일후 다시 현상계로 되돌아가는 곳입니다.〉

그는 기가 막혔다. '호랑이의 둥지'가 지옥신의 거처라는 것인가?

〈그럼, '사자의 서'를 어떻게 구한단 말인가?!〉

〈'사자의 서'는……, 말씀드렸듯이 책이 아닙니다. 그것은 인간계의 것이 아니라 신계의 것입니다. 인간이 '사자의 서'에 근접하면 할수록 점점 그 사람의 모든 의식, 시간, 공간을 '사자의 서'에 의해 지배당합니다. 현상계에서는 땅의 신에게 인간의 모든 시간, 공간, 의식을 꽉 붙잡혀 지배당하지만, 그 곳 '바르도 퇴톨'은 땅의 신과 전혀 상관없는 다른 공간이 됩니다. 만약 죄를 많이 지은 영혼이 그곳으로 가게 된다면 마치 지옥 불에 살이 타들어 가는 것처럼 느끼게 될 것입니다. 그 영혼의 무의식이 기억하고 있는 마음이 죄의식을 불러들여서 자신이 벌을 받고 있다는 허상을 보게 되는 것입니다. 그러나 선하고 맑은 영혼들이라면 무릉도원의 허상을 겪게 되는 것입니다. 그렇게 인간들은 '사자의 서'의 영향으로 천국과 지옥의 허상을 자의식에서 끄집어내어 마치 겪고 있다고 착각하는 것입니다.〉

그는 아무 말 없이 어안이 벙벙한 얼굴로 눈길을 떨어뜨리고 잠시 생각에 잠긴 듯 가만히 있었다. 그리고는 화가 난 것인지 탄식하는 것인지 모를 낮은 목소리로 말하였다.

〈이건……, 이건…… 내가 생각했던 것보다 훨씬 난해하고 어려운 일이 될 것 같아 왠지 불안해지는 군. 생각해보게, 인간인 내가 어떻게 신계를 들락거릴 수 있는가?!〉

그에 질세라 케장은 금기사항을 계속해서 밀어 붙였다.

〈어려울 것입니다. 해탈의 경지에 이른 고승이 아닌 한, 인간이 상념이나 생각에 빠지지 않는다는 것은 불가능에 가깝습니다. 하지만 '사자의 서'에 다다라서는 모든 자의식들을 버리셔야만 됩니다! 그렇지 않으면, 그 의식들에 휩싸여 '사자의 서'가 당신의 의식을 지배하게 될 것입니다!〉

그의 얼굴은 거의 사색에 가까웠다. 실체를 알 수 없는 적과 전쟁을 치러야하는 막막함처럼 그의 가슴을 답답하게 하였다.

그러나 그가 누구인가? 운명이 선택한 자가 아니던가?

그는 고개를 들고 반문하였다.

〈그 반대는 어떤가? 내가 의식하는 대로 사자의 서가 보여 줄 수도 있는 것인가?〉

승려 케장은 마치 올 것이 왔구나하는 표정을 지어 보이며 잠시간 머뭇거리더니 한 숨을 한번 길게 내쉬며 말을 이었다.

〈그렇습니다. 그래서 사실 저는 당신에게 '사자의 서'를 내어 주는 것에 반대를 하였습니다. 원로들이 결정을 못하고 오랫동안 회의를 한 이유도 그것 때문입니다. '사자의 서'는 반드시 '호랑이 둥지'로 되돌려 놓아 져야만 합니다! 한번 생각해 보십시오! 수많은 인간들이 이것을 이용하려 든다면 세상이 어찌 되겠습니까?! 물론, 대부분의 인간들은 오히려 '사자의 서'의 지배를 받게 되겠지만……. '사자의 서'를 소유했지만 호랑이의 왕인 훈족왕 아틸라는 결국 '사자의 서'에게 자의식을 빼앗겨 버렸습니다. 그리고 그는 죽기 전 그의 아들 중 한명으로 하여금 그 '사자의 서'를 되돌려 놓을 것을 명했습니다. 그는 스스로 자신의 아들의 눈을 찔러 멀게 하고 귀를 없애 귀머거리로 만들어 '사자의 서'의 지배로부터 그를 지키려했습니다.〉

그의 눈에서 번뜩이는 불빛이 벼락처럼 빛났다.

그리고 그는 어렵고 힘들 것이라는 생각을 빠르게 벗어 버렸다.

그에게 있어 운명은 두려움의 대상이 아니라 정복의 대상이었을 뿐이었다.

'호랑이의 둥지'로 향하는 여정을 위해 먹을 것과 말들이 준비되었다. 텐징은 일행이 사자의 서'를 가지고 돌아오기로 약속한 5일 동안 온천 마을에서 머물기로 하였다.

무엇보다 다행인 것은 일행 모두 어제의 온천과 환대에 힘입어, 별다른 이상 없이 여정을 계속할 수 있었다는 것이었다.

환송 나온 마을사람들과 텐징을 뒤로하고 말을 달려 '호랑이의 둥지'를 향해 출발했다.

파로로 향하는 내내 그는 두려움이나 불안감보다는 왠지 들뜬 기분을 느꼈다. 그 기분에 맞추어 샤키아의 도심에서 만난 활불을 떠올렸다. 그 활불은 그에게 '사자의 서'를 반드시 구할 것이라고 장담했었다.

무엇보다도 그의 이런 긍정적인 자신감은 히말라야 정상에서 느낀 느낌에서 온 것이었다. 그것은 말로 표현되지 않는 느낌이었다.

세상만물의 계획을 들은 듯했다. 그 계획은 그의 성공이었고 그 성공은 만물의 계획 속에 있다는 확신이었다.
그는 그렇게 믿었다.
신이 자신의 편에 섰다고……,
사실은 처음부터 자신의 의지가 아닌 신의 계획이었다고…….

해가 저물 쯤, '호랑이 둥지'로부터 멀지않은 파로에서 일행은 여정을 풀었다.
저녁 식사 후에 샤키아의 승려 두 명인 케장과 남카가 그와 참모들을 마을의 사원인 키츄라캉으로 안내했다.
흰색 벽의 거대한 사원은 삼층 구조로 지어졌다.
대전 내부에 들어가니 어마어마하게 큰 금불상이 중앙에 서 있었는데 그 크기가 삼층 천정에 머리 부분이 닿아 있었다. 그리고 천정 역시도 금으로 장식되어 있었는데 한눈에 딱 보아도 상당히 규모가 큰 사원임을 알 수 있었다.
어둠이 내려앉은 대전 내부에 촛불을 밝히고 있던 중인 승원장 노르부가 토번국 사키아파의 붉은 승려 복을 입은 승려 케장과 남카을 발견하고 두 손을 합장하며 고개를 숙여 인사를 하였다.
〈이렇게 '눈의 둥지'를 넘어 이곳까지 오시다니 모두가 공덕이 높으신 연유입니다.〉
그렇게 말하는 노르부야말로 한눈에 보아도 도력이 출중한 노승으로 보였다. 백발의 머리는 틀어 올려 머리 맨 위에 단정히 고정시키고 누런 색깔의 가사에 검은 천을 어깨에 드리우고 넓은 이마의 주름이 흐르듯 눈가로 볼 언저리로 그리고 널찍한 낮은 입가로 맴돌고 있었다. 마치 나이든 부처의 모습이라고 할까.

〈저희가 승원장님을 찾아 뵌 이유는 '호랑이 둥지'인 탁상곰파로 가기 위함입니다.〉

승려 케장의 말에 이해하겠다는 듯이 고개를 끄덕이던 승원장 노르부가 말을 이어 갔다.

〈승려의 길을 걸음에 있어 500년전 이 불모의 땅에 불교를 전한 파드마 삼바바의 순례의 길을 쫒아 높은 도를 알고자 하는 것은 불자들의 소원중의 하나이지요. 얼마나 수행을 하실 예정이십니까?〉

이에 승려 케장은 조금 주춤하더니 이내 말을 꺼냈다.

〈이분들은 저희랑 같이 '눈의 둥지'를 넘은 테무진 일행입니다. 그는 머나먼 초원에서 여기까지 왔습니다. 그것은……, 바로 '사자의 서'를 얻기 위해서입니다.〉

흠칫 놀라서 테무진을 쏘아보는 승원장 노르부의 눈은 살아있다는 활불의 온화함이 가시고 마치 뱀의 눈 마냥 살기를 뿜어내었다. 그리고 대전내의 다른 승려들의 귀를 의식하듯 그와 승려 케장과 남카만을 자신의 관저로 들도록 명하고 급히 사라졌다.

어린 동자승에 의해서 승원장 노르부의 관저로 안내를 받아 가고 있을 때 저녁 예불이 시작 되었는지 대전에서는 경전 읽는 소리가 울려 나오고 있었다. 천정이 높은 사원 구조가 긴 악기의 관과 같은 역할을 해서인지 일제히 같은 소리를 내며 울리는 예불 소리는 천상의 것 인양 가슴으로 울려 퍼지고 있었다.

관저 안은 소박한 편이었고 희미한 촛불에 비친 승원장 노르부는 마치 깨울 수 없는 깊은 명상에 빠진 부처처럼 부동의 자세로 허리를 약간 구부리고 두 손은 배꼽아래쪽에 엄지손가락을 맞대어 가지런히 놓아 늘어뜨려 있었다. 감히 아무도 그를 심연의 명상에서 끄집어 내지 못할 것 같았다. 작은 관저 안에는 정적만이 흘렀다.

얼마의 침묵이 흘러 승원장 노르부는 눈을 감은 채 말을 시작했다.

〈오늘 아침 참으로 이상했지. 아침마다 울어대던 새들이 오늘따라 오간데 없이 사라진게야. 매일의 일상은 항상 같아 보이지만 우리가 매일 느끼는 배고픔, 슬픔, 공허함 ,기쁨, 무기력 이런 감정들의 변화만큼이나 손톱만큼도 같지 않은 그 다음의 순간들을 우리는 일상의 무료함으로 탄식하곤 하지……. 이제 때를 준비할 때가 된 게지. 인간의 시간으로는 기억할 수 없겠지만 이미 그대는 그 계획의 일부가 되어 그 도구로 쓰일 걸세……. 그대는 그대의 인생을 살게……, 그대가 알 수조차 없는 땅의 여신의 긴 시간 동안의 계획 속에 그대는 자신의 역할을 하게 되는 것이란 말일세…….〉

소름이 돋아났다.

도대체 이 자는 무엇을 알고 있는 것일까?

자신이 말로 형용하지 못하던 그 운명적 필연의 느낌을 그는 말하고 있었다.

갑자기 관저의 쪽문이 열리더니 젊은 승려 한 명이 들어 왔다. 승원장 노르부는 감았던 눈을 뜨고 기다렸다는 듯이 그 젊은 승려에게 명했다.

〈너는 은밀히 내일 아침 탁상곰파로 갈 준비를 하고 나와 함께 이 분들을 모시고 가야겠다. 다른 승려들에게는 절대 이 사실을 발설하지 말고 파로 시내에 순례자들을 만나러 간다고 해 두거라.〉

〈예, 스승님 그리 하겠습니다.〉

공손히 스승의 말에 대답하던 젊은 승려가 그를 쳐다보더니 놀라는 눈치였다.

〈그러나 스승님 '호랑이 둥지'인 탁상곰파는 민간인들에는 금지된 성지입니다. 근데 어찌 이 자를 데려 가려 하십니까? 또 민간인이 결계를 잘 못 건드리면 암흑천지로 변할 텐데요!〉

젊은 승려의 스승인 승원장 노르부는 다시 눈을 감으며 말했다.

〈그는…… 계획의 일부이니라.〉

그 말에 젊은 승려의 눈은 믿을 수 없다는 듯이 커졌다.

그날 숙소로 돌아온 그는 줄곧 그 계획이라는 말에 집착하고 있었다.

〈도대체 그 계획이란 무엇인가?〉

승려 케장은 그의 복잡한 마음을 이해하겠다는 듯이 대답했다.

〈오랜 시간에 걸쳐 인간이 죽고 살고 반복하는 동안 우리는 대자연의 계획 속에 살고 그 의식을 현상계의 의식으로 공통으로 공유하며 살고 있습니다. 우리가 알 수 있는 개념이 아닙니다. 우리 인간들은 그냥 살아내는 것 외에는 그 뜻을 이해 할 수도 또 알 수도 없는 것이지요.〉

〈허허, 승려라도 돼서 수행이라도 해야지, 도무지 알 수 없군. 알려 들면 점점 어려워지니.〉

〈테무진 당신이 '사자의 서'를 얻게 된다면 그것도 모두 그 계획의 일부라는 것입니다. 하지만 '호랑이의 둥지'에서 '사자의 서'를 얻는 것은 우리가 상상할 수 없이 힘든 일일 것이라는 것입니다.〉

〈하지만 파드마 삼바바가 호랑이의 등에 타고 나타나 어둠의 마왕을 물리치고 결계를 바로 잡기 이전인 그보다 300년을 앞서서 '호랑이의 왕'인 훈족의 황제가 먼저 그 곳에서 '사자의 서'를 구해오지 않았는가? 나도 반드시 해낼 수 있을 거라고 믿네!〉

그렇게 그는 스스로에게 다짐하듯 말하였다.

다음날 일찍 노르부와 젊은 승려가 말을 타고 나타났다.

〈일행은 간단하게 꾸렸으면 하네. 어제 왔었던 사람들 정도로…….〉

노르부의 이런 조건에 따라서 그는 나머지 일행을 남겨두고 참모들과 두 명의 사키아 승려들을 대동하고 '호랑이 둥지'인 탁상곰파를 오르기로 결정하였다.

산 비탈진 곳을 말을 타고 가다보니 멀리 암벽의 산들이 눈에 들어 왔다. 거의 평지가 없이 산에 연속인 곳이었다. 산들로 겹겹이 옷을 입은 듯이 한 고개, 한 고개, 한 봉우리, 한 봉우리 넘어 갈 때 마다 눈앞에는 진경들이 펼쳐졌다.

그러나 멀리에서 보이는 파드마 삼바바의 '호랑이의 둥지'는 옅은 안개가 흐르고 신선계를 꿈속에서 만난 듯 신비스럽기만 하였다.

〈여기서 부터는 암벽 구간입니다. 말을 메어 두고 걸어서 올라가야 합니다.〉

앞장서던 노르부의 젊은 승려가 말에서 내리면서 말했다.

여정은 산을 타고 걷는 것으로 이어졌다.

참으로 이상한 것은, 암벽을 타고 오르락내리락하는 험악한 계곡을 넘나드는 동안에 안개로 휩싸여있는 암벽 중턱의 '호랑이 둥지'는 마치 눈에 잡힐 듯 가까이 다가선 것처럼 보이다가 계곡을 건너 또 다른 언덕을 오르면 다시 저 만큼 멀어져 사람의 눈을 희롱하고 있었다.

한참동안의 암벽등산후, '호랑이 둥지'인 탁상곰파에 다다랐을 때는 거의 한치 앞을 볼 수 없을 정도의 짙은 안개가 그들을 맞이하고 있었다.

깎아지른 절벽에 위치해 있는 둥지를 보니 가히 파드마 삼바바가 호랑이를 타고 날아서 왔을 만했다. 암벽의 경사도가 인간이 범접하기 힘들 정도로 가팔랐다.

〈저 동굴의 입구가 '호랑이의 둥지' 탁상곰파일세!〉

승려 노르부가 가리키는 동굴은 입구가 그리 넓지 않았다. 성인 남자가 허리를 구부려야지 들어갈 수 있을 정도로 작은 입구였다. 하지만 동굴에 들어가고 나서는 모두들 놀랐다. 동굴입구에 비해서 동굴의 규모가 상당히 컸기 때문이었다. 한쪽에는 한 수행자가 깊은 명상에 잠기어 미동도 하지 않고 있었다.

일행이 동굴의 더 안쪽으로 들어갔을 때는 더욱더 놀랐다. 동굴 중앙에는 꽤 넓은 연못이 있었고 연못 그득히 연꽃이 피어 있었다.

게다가 신기한 것은, 안 그래도 동굴 안이 그리 어둡지 않다고 여기고 있었는데 동굴의 위쪽으로 구멍이 나 있어 빛이 새어 들어오고 있었다. 밝은 빛이.

분명 안개 끼어 가려졌을 햇빛이 어두운 동굴로 선명한 선을 그리며 연못을 비추고 있었던 것이었다. 그 빛은 동굴의 어둠을 어느 정도 감할 수 있을 만큼 은은했다.

그리고 더욱 의아한 것은, 연못의 중간에는 측백나무가 기형적인 모습으로 자라고 있었다. 밑동 쪽으로 갈수록 어른 남자 세 명이 둘러싸야 할 정도로 퉁퉁한 줄기가 마치 여러 마리의 큰 구렁이들이 뒤엉켜 꼬여 있는 형상으로 자라다가 옆으로 줄기를 늘어뜨린 모습을 하고는 어른 키의 두 배정도로 자라있었다. 연못 속 진흙에 뿌리를 두고 자라고 있는 측백나무는 물에 잠긴 맹그로브나무처럼 당당하면서도 영험해 보였다.

연못의 건너편 안쪽으로 어두운 동굴이 있었다. 일행이 횃불을 켜 들고 걸어 들어간 지 얼마 되지 않아 동굴의 막다른 곳에서 커다란 쇠문과 맞닥뜨렸다. 그는 손으로 쇠문을 두들겨 보았다. 단단한 정도로 보아 쇠문의 두께와 무게가 엄청날 듯했다. 쇠문은 오랜 세월을 말해 주듯이 짙은 갈색의 녹이 묻어 나왔고 거미줄이 비단실 마냥 늘어져 있었다.

〈이만한 문이면 그냥 쉽게 열리지 않을 듯싶은데요.〉

그가 노르부를 쳐다보며 말했다.

〈문제는 이 문이 아닐세. 이 문 너머에 있는 것들이지.〉

그리고는 노르부는 휙 몸을 돌려 다시 연못이 있는 동굴의 입구 쪽으로 가버렸다. 뒤이어 노르부의 젊은 승려도 그의 스승을 따라 가버리자 어리둥절한 그와 승려 케장이 서로 얼굴을 쳐다보다가 일행들에게 노르부를 따라 갈 것을 손짓으로 명했다.

동굴의 입구 쪽으로 나온 승원장 노르부는 연못 안으로 성큼성큼 걸어 들어갔다. 연못은 그리 깊지 않았다. 허벅지 정도의 물을 가르고 노르부는 연못 중간의 측백나무에 다다랐다. 그리고는 나무의 가지를 하나하나씩 밟고 올라가 푸르른 이파리가 많이 붙은 가지를 꺾어 들고 내려오더니 일행에게로 다가왔다. 갓 꺾은 측백나무의 알싸한 향이 코끝을 자극했다.

〈측백나무의 가지는 무엇에 쓰시려고 꺾으셨습니까?〉

그가 궁금하여 노르부에게 물었다.

〈측백나무는 악한 기를 사하여 주는 나무일세. 악한 기운을 다스리기 위해서는 지니고 있어야 하네.〉

그에게 나뭇가지를 건네어 주고 노르부는 다시 연못으로 들어갔다. 이번에는 측백나무가지위에 아예 가부좌를 틀고 앉아서 명상을 시작하였다. 이어 승려 케장과 남카도 동굴의 한 쪽 바위에 자리를 잡고 앉아서 노르부처럼 명상에 빠져 들었다. 그와 참모들은 이런 승려들의 갑작스런 행동에 당황했으나 무슨 연유인지는 몰라도 명상에 잠긴 그들에게서는 말문을 막아 버리고 다가설 수 없게 만드는 영적인 힘이 느껴졌다. 그는 가만히 그들의 행동을 지켜보는 수밖에는 없었다.

한편 노르부의 젊은 승려는 동굴 내부를 휘휘 돌아다니며 이리저리 바위를 살피고 두드리면서 무언가 찾는 듯이 보였다.

하지만 명상은 쉬이 끝나지 않았다. 한참을 기다렸지만 승려들은 움직일 생각을 하지 않았다. 동굴 밖을 둘러보러 나갔다온 제베가 그에게로 가까이 다가와 낮은 소리로 말했다.

〈뭔가 이상합니다. 밖은 이제 밤입니다.〉

제베의 말에 그와 참모들은 소스라치게 놀랐다. 왜냐면 연못은 여전히 동굴 위쪽에서 흘러 들어오는 햇빛으로 빛나고 있었기 때문이었다.

〈있을 수 없는 일이 아닌가? 그럼 저 빛은?〉

그와 참모들은 귀신에 홀린 듯한 표정이었다.

그가 연못 가까이로 다가 갔다. 동굴 위쪽의 구멍에서 새어 나오는 빛줄기를 자세히 관찰했다. 그것은 정말 햇빛이었다. 빛줄기는 연못의 한쪽으로 쏟아져 들어오고 있었는데 그 빛줄기가 바뀌지 않은 채 계속 한 곳만을 비추고 있었다. 그는 빛줄기를 좇아 연못으로 쏟아져 내리는 빛이 그대로 반사되는 부분을 유심히 살폈다. 별다른 이상이 없는 자연스러운 상태였다. 분명 평범한 대낮에 쏟아져 내리는 빛줄기였다. 그러나 지금은 밤! 이 동굴은 시공간에 있어서 필시 정상적이지 않은 이상한 곳임에 틀림없었다.

그 순간,

〈앗! 이게 뭐지?!〉

그의 외마디에 참모들이 달려와 그를 부축하였다.

〈이게 뭐지?! 무언가 눈에 보여! 잔상으로 무언가 보이는데……!〉

떠들썩한 소리에 승려 케장과 남카가 명상에서 깨어나고 노르부의 젊은 승려까지 그들에게로 달려 왔다.

하지만 반사된 눈부신 부분을 모두 다 함께 보았음에도 불구하고 그 잔상은 다른 이들의 눈에는 보이지 않았다.

〈무엇이 보이십니까?!〉

젊은 승려가 답답해하며 다급히 그에게 따지듯 물었다.

〈아……, 그냥 연못의 비친 빛을 본 것뿐인데. 그 잔상으로 이상한 물체가 보이네!〉

〈어… 어떻게 생겼습니까?!〉

더욱 흥분한 젊은 승려는 승려답지 않게 침을 삼키며 애가 달아했다.

〈길쭉하게 생겼네! 그리고……, 양쪽 끝에 세 개의 뾰족한 날이 보이네!〉

그의 말이 끝나기가 무섭게 젊은 승려는 쏜살 같이 연못으로 몸을 던져 첨벙첨벙 뛰어 들어 가기 시작했다. 참으로 그 스승에 그 제자였다. 다들 그냥 기가 막혀 젊은 승려의 행동을 쳐다보고만 있었다. 젊은 승려는 빛이 반사된 부분에 손을 집어넣어 무언가 뒤적여 찾고 있었다.

〈그것은……, 분명 금강저일 겁니다! 〉

승려 케장이 상기된 얼굴로 그에게 말했다.

〈금강저?! 그것이 무엇인가?〉

〈그것은 퇴마의식에 쓰이는 항마(抗魔) 무기입니다. 그리고 특히 아까 설명한 날이 세 개 달린 금강저는 파드마 삼바바께서 뚫려버린 결계로 인해 세상을 암흑천지로 만든 마왕에 맞서 싸울 때 썼던 바로 그 금강저가 틀림없습니다.〉

모두들 승려 케장의 말에 귀를 기울이고 있을 때, 젊은 승려가 무언가 발견한 듯했다. 연못 속에서 두 손으로 받쳐 들어 끄집어 올린 것은 금빛으로 빛나는 금강저였다. 자신도 벅찼는지 놀란 표정이 역력한 젊은 승려는 금강저를 여전히 두 손으로 받쳐 들고는 연못을 가르고 그에게 다가와 빛나는 그것을 내어 보였다. 실로 아름다운 조각이 새겨져 있는 물건이었다. 또한 양쪽에 각각 달린 세 개의 날은 닿으면 핏줄기를 뿜어 낼 듯 날카롭게 빛났다.

〈파드마 삼바바께서… 여기에 숨겨두신 보물입니다!〉

여전히 감격한 젊은 승려가 북 받쳐 오르는 것을 주체 못하며 말했다.

〈그 시대의 상황에서 파드마 삼바바께서는 자신의 불교학파가 핍박을 받을 것을 미리 예지하시고 그의 비전비기들을 비밀리에 은밀한 장소에 숨겨 두셨다고 합니다. 그 많은 비전비기들이 지금껏 나타나지 않고 있지만, 지금 이 금강저는 파드마 삼바바의 비기인 법구임에 틀림이 없는 것 같습니다!〉

승려 케장 역시 감격하여 말했다.

〈또한 이 금강저는 번뇌를 부셔버리는 법구로도 주로 사용되는데, 번개와 천둥의 힘을 가지고 있어 퇴마의식에서 악한 사귀를 없애는데도 쓰이기도 합니다. 오오! 이런 귀한 보물을 얻다니……!〉

그들이 금강저의 발견으로 놀라고 있을 때 주변에는 이상한 기운들이 생겨났다. 그것은 측백나무에서부터 생겨난 기운이었는데 나무 끝의 측백나무 잎들에서 이상한 녹색의 빛들이 빠져 나온 듯싶더니 날려서 연기처럼 사라지기 시작했다.

모두들 숨죽인 채 나무 주변에서 날려 없어지는 녹색 빛의 향연을 주시하고 있었다. 뭔가 심상치 않은 일이 생길 것 같아 참모들은 그를 둘러싸고 칼까지 뽑아 들은 터였다.

나무는 점점 더욱 많은 녹색 빛을 뿜어내고 있었다. 모두들 노르부의 동향을 살피고 있었으나 놀랍게도 노르부의 몸도 나무의 일부인 것처럼 녹색 빛으로 휩싸여 있었다. 그리고는 손쓸 사이도 없이 강한 녹색 빛이 뿜어져 나왔는데 모두들 일제히 자신들도 모르게 엎드려 눈을 가렸다.
〈아앗! 케장 이 강렬한 빛은 무언가?!〉
그는 소리를 질렀다.
〈이 빛은……, 빛에서…… 강력한 도력이 느껴집니다!〉

햇빛보다 눈부시고 피부에 뜨겁게 느껴지지는 않지만 오감으로는 설명되지 않는 강렬함을 가지며 뼛속까지 전달되는 폭발적인 기운 때문에 모두들 구부린 다리를 펼 수 없었고 숙인 고개를 들 수가 없었다.
도대체 이 무서운 기운은 무엇인가?!

잠시 후 주변의 강한 녹색 빛은 점점 사그라들고 측백나무와 노르부에게만 빛이 발하고 있었다. 그리고는 신비스럽게도 그 빛은 작은 초록색 구로 집결하고 있었다.
그런 상황에서도 노르부는 마치 꿈속에 빠져서 다른 세상에 있는 것 인양 꿈쩍하지 않았으며 그 초록색의 빛나는 구는 노르부의 이마앞쪽에 손으로 잡으면 잡을 수 있을 만큼 가까이에서 빛나고 있었다.
이윽고 참으로 이상하게도 녹색 빛으로 빛나던 초록색 구도 사라졌다.
이 광경을 보고 있던 승려 케장은 믿을 수 없다는 듯이 말했다.
〈이것은……, 천년동안 도를 닦아야 얻을 수 도력입니다!〉
모두들 놀랐는지 서로의 얼굴을 쳐다만 보았다.

〈천년동안 도를 닦을 수 있는 것은 용입니다! 저것은 용의 여의보주입니다!〉

여의보주! 그것은 전설로만 전해 들어오던 것이었다. 그런 것이 실제 존재하리라고는 그는 전혀 믿고 산 적이 없었다. 그는 눈으로 보여 지는 것, 힘으로 이뤄내는 것만 믿고 산 전쟁터의 장수였다. 그는 순식간에 신의 영역속의 한 작은 미물로써 무기력함을 느꼈다. 그리고 그가 무엇을 할 수 있을 지 앞으로의 모든 것이 의미 없게 다가 왔다.

승원장 노르부가 눈을 뜨고 서서히 몸을 일으켜 연못을 가로 질러 그들에게로 다가오고 있었지만 그는 엎드려 고개만 쳐들고 있을 뿐 몸의 힘이 다 빠져 나간 듯 멍하기 만한 상태였다.

〈방금……, 방금 전의 것은 전부다 무엇입니까?〉

백발의 늙은 부처와 같이 생겼다고 생각한 노르부는 더더욱 그의 눈에는 위대해 보였다.

하지만 노르부는 그것에 대한 대답은 하지 않고 손끝으로 측백나무를 가리켰다.

〈저 측백나무를 보게나. 저 나무는 수백 년간 여기에서 우리를 기다렸네. 나 역시 지금 이 순간을 위해서 태어나고 지금까지 살고 있는 것이네. 나는 식장(識藏)일세. 신령이 어느 특정한 시기에 태어날 특정한 사람의 마음속에 신명의 계시를 숨겨 놓는 다네. 나의 운명은 그 계시대로 하는 것이라네. 그리하여 나는 승려가 되었고 내 마음속에는 오늘의 그대와 이곳 '호랑이의 둥지'에 대한 진실이 새겨져 있었던 것이네. 세상의 모든 일들 중 우연히 일어나는 일은 아무것도 없다네. 모든 것은 계획 되어진 것이라네.〉

그는 아무 말도 할 수 없었다.

그리고는 궁금해졌다.

〈그런 신통력을 가진 당신 같은 사람도 있는데 왜 하필 저입니까? 왜 제가 이 일을 해야 하는 것입니까?〉

이제 와서 그는 모든 의지를 상실한 듯했다. 그의 큰 뜻들이 너무나 하잘 것 없게 느껴졌다. 그리고 그는 신령들의 계획에 한낱 하수인이란 말인가?

〈그건 나도 모른다네. 아마 수백 년, 수천 년 후의 일이 될 터이지만, 지금 자네가 해놓은 일이 후대의 어떤 일과 연관이 있을 거라는 것이네……. 그리고 그 일은 아마도, 내게 새겨진 계시에 따르면 아주 중요한 일이 될 것이라는 것이네. 우리 인간들은 그냥 삶을 계속해 나가는 것이 신령의 뜻이라네.〉

〈제가 이제 하지 않겠다고 한다면 어떻게 됩니까?〉

그는 신령에게 반항을 하고 있었다. 운명이란 자신이 개척해 가는 것 아니던가?

하지만 이런 그의 반응에 노르부는 꿈쩍하지 않았다. 그는 이미 이 일의 결말을 알고 있다는 듯 말을 꺼냈다.

〈위대하신 파드마 삼바바는 연꽃에서 태어 나셨네. 그는 태어날 때부터 용의 여의보주의 힘으로 태어난 복 많은 신령들의 전령사였지. 하지만 이런 많은 복들과 신통력을 타고난 파드마 삼바바조차도 자신의 운명에서 도망가고 싶어 했네. 저기 저 측백나무를 보게나. 자신의 운명인, 수백 년을 기다리는 고행도 감내하셨던 것이네. 그도 그의 몫의 운명을 감내해내고 있단 말일세.〉

〈그렇다면 저 나무는?!〉

〈그렇다네. 그는 그 자리에 앉아 명상에 빠진 상태로 스스로 고목이 되셨네. 오늘을 위해서……. 그리고 용의 영혼인 여의보주를 나에게 인계해주는 신령의 계획을 수행하셨던 것이란 말일세.〉

그는 그제야 엎드린 몸을 일으켰다. 하지만 그는 아직도 자신이 여기까지 온 모든 이유들과 과정들이 공기 중의 먼지마냥 부유하고 있는 듯 느껴졌다.

〈모든 만물은 보이지 않게 이어져 있네. 모든 일어나는 일들 또한 그러하네. 그것은 우리 모두의 약속에 의한 것이기 때문이네. 이 약속을 알아차리는 것은 깨달음과 다르지 않네. 이제 그 약속을 지키게나.〉

여기까지 모든 일을 벌려온 것은 그 자신이었다. 달리 그가 결정할 수 있는 것이 없다는 것을 그는 절감했다.

〈좋습니다. 그 모든 것의 끝이 어디까지인지 가봅시다!〉

그의 결심이 선 것을 보고 노르부는 젊은 승려에게 명했다.

〈금강저를 테무진에게 주라! 그것은 그의 보리심을 지켜 줄 것이다! 그리고 그 바위는 찾았느냐?!〉

젊은 승려는 두 손으로 받쳐 들고 있던 파드마 삼바바의 금강저를 그에게 건네었다. 금으로 만들어진 금강저는 한 손에 육중하게 잡히었다.

〈네, 연못 건너편 동굴 입구께에 있습니다.〉

동굴 입구로 이동한 일행은 젊은 승려가 찾아낸 바위를 볼 수 있었다. 사각형으로 잘 다듬어진 바위는 어른의 무릎정도의 높이였고 잘 다듬어진 한쪽부분과 달리 다른 쪽 부분은 다듬어지지 않은 원래 바위의 모습이었는데 커다란 굵기의 쇠줄에 감기어 있었다. 이

쇠줄이 연결되어 어른의 발걸음으로 두, 세 걸음 떨어진 곳에 뱀처럼 똬리를 틀고 목재로 만들어진 둥근 판위에 놓여 있었는데 그 길이가 상당할 것 같았다.

곧이어 노르부는 그 바위를 동굴의 입구로 옮기도록 명했다. 바위는 그 몸집에 비해 엄청난 무게를 자랑했는데 모두가 합심하여 겨우 옮길 수 있었다.

〈바위를 쇠문에 붙이게!〉

앗! 그제야 그는 감이 왔다.

자철석이었다.

횃불에 비치는 쇠문은 녹이 슬어 있어 거친 단면을 드러내고 있었고 자철석 바위는 '쿵!' 하고 쇠문에 철퍼덕 가서 붙었다. 똬리를 튼 쇠줄이 줄줄이 스르르 딸려 들어 왔다.

〈쇠줄을 돌려 문을 잡아당기게!〉

쇠줄이 감겨 있던 둥근 목재판에는 양쪽에 손잡이가 달린 회전판이 놓여 있었는데 참모들은 양쪽으로 서서 그 손잡이를 밀어 돌려 쇠줄을 감았다.

'구르르르렁!'

쇠문은 굵직한 소리를 내며 열리고 있었다.

굵은 쇠줄과 자철석 바위는 꽤나 성능 좋은 도구가 돼주었다.

쇠문이 반쯤 열리어 졌을 때 승원장 노르부는 멈추도록 명령하였다.

그리고 노르부는 횃불을 하나 건네 들더니 문의 열려진 빈틈으로 가까이 다가가 횃불을 들이대었다. 횃불에 비친 안쪽은 검은 암흑 그 자체였다. 그냥 보고만 있어도 오싹해지는 너무나도 칠흑 같은 어둠이었다. 빛도 세어나가지 않을 만큼…….

'쉬이익!'

앗! 횃불이 순식간에 꺼져 버렸다. 아니 꺼져 버렸다기보다는 어둠이 삼켜 버렸다고 하는 것이 맞겠다. 다음 순간에 가슴속까지 얼려 버릴 듯한 냉기가 문틈 너머에서부터 퍼져 나왔다.

그는 공포의 백색 혹한에서 살아 돌아 왔다. 이제 그는 흑색 혹한을 눈앞에 두고 극심한 공포에 떨었다.

노르부가 몸을 돌려 그를 바라보면서 말했다.

〈저 곳은 현상계에는 존재치 않는 공간이네. 죽은 자들만이 갈 수 있는 공간이지. 이 어둠의 결계를 지나야 '사자의 서'가 있는 곳으로 가게 되네. 나도 어떤 곳인지 알 수 없는 곳이라네.〉

〈이렇게 된 이상 '사자의 서'를 얻어야겠습니다! 그리하고 나서 무언가 생각해 보겠습니다. 지금으로서는 아무 생각 없습니다. 그냥 이 일을 해내야겠다는 것 외에는.〉

계획했던 대로 그와 승원장 노르부 두 사람만 결계로 들어가고 다른 이들은 동굴 입구에서 기다리기로 했다.

〈준비되었는가?〉

〈네, 가시죠!〉

그들은 서서히 쇠문 너머의 세계로 들어갔다.

참으로 얼음처럼 차가운 검은 안개였다. 손과 몸을 보니까 검은색의 떠다니는 물질이 흐르듯 움직이는 것이 보였다. 앞은 마치 검은 장막을 친 듯이 볼 수 없었지만 앞으로, 앞으로 한 발짝씩 걸어 들어갔다.

어둠속에서 노르부가 그의 손을 잡으면서 말했다.

〈정신을 똑바로 집중하게!〉

점점 안쪽으로 걸어 들어 갈수록 어둠이 무겁게 다가 왔다. 그리고 숨을 쉴 수가 없었다. 몸은 점점 공중에 떠오르며 균형을 잃고 바동거렸지만 정신을 차리고 노르부의 손을 놓지 않으려고 애를 썼다.
이윽고 무거운 쇳물에 짓눌리듯이 온몸을 압박해오고 있었고 움직임마저 자유롭지 못한 상황이었는데 이미 몸은 바닥이 아닌 알 수 없는 공간으로 방향을 잃은 채 떠다니고 있었다. 그는 어떻게든 앞으로 가려고 안간힘을 쓰고 있었다. 하지만 이상한 알 수 없는 힘이 그들 둘을 서로 밀어내는 듯했다.
아! 노르부의 손을 놓쳐 버렸다.
그는 있는 힘을 다해 열리지 않는 입을 열어 그를 불렀으나 어둠은 아무런 소리도 허락하지 않았다.
그는 더 이상 어둠의 이 엄청난 무게를 견딜 수가 없었고 숨을 참는 것도 견디기가 힘들었다. 그리고 손에 움켜쥐고 있던 금강저마저도 알 수 없는 밀어내는 힘에 의해 손에서 미끄러져 나가 버렸다.
어둠에 묶이고 입이 막혀 버린 그는 버티는 것이 불가능하다고 판단했다. 그리고 그는 히말라야에서 흰색의 눈 속에 휩싸여 죽음을 기다리던 자신의 모습을 떠올렸다.

그때였다.
초록의 찬란한 빛이었다.
모든 빛을 삼켜버릴 듯하던 이 막강한 공포의 어둠을 일시에 무색하게 만드는 강렬한 빛이었다. 그리고 노르부가 외우는 진언의 소리가 커다랗게 울리어 들렸다.
〈옴 소마니 소마니 훔 하리한나 훔 하리한나 바나야 훔 아나야혹 바아밤 바아라 훔 바탁!〉

곧이어 엄청난 무게의 어둠쇳물이 걷혀 지고 이마 앞쪽에 초록색

구가 빛나고 있는 노르부의 모습이 눈앞에 나타났다.

주위는 푸르른 하늘에 떠 있는 것 마냥 푸른색으로 빛나고 있었고 숨도 제대로 쉴 수 있었다. 금빛의 금강저도 그의 손아귀에 돌아와 있었다.

〈승원장님! 어둠의 결계를 지난 것 같습니다.〉

빛나던 초록색의 여의보주는 서서히 사라지고 주위는 다시 어두웠지만 마치 현상계의 달빛이 훤한 밤 마냥 모든 것이 뚜렷하게 보이는 맑은 밤과 같은 상태가 되었다.

〈지금부터는 더욱더 정신을 다잡게! 여긴 이제 우리가 살던 세상이 아니고 전혀 다른 세상이네.〉

이곳이 '바르도퇴톨'이었다. 삶과 죽음의 중간계이며 공간의 중간계, 시간의 중간계, 의식의 중간계인 우리네 삶에서는 볼 수 없는 사이와 사이, 간격과 간격인 곳이었다. 존재하나 우리의 눈으로는 의식할 수 없는 세상인 것이었다.

두 사람은 맑은 어둠의 공간을 걸어갔다. 이윽고 믿을 수 없는 아름다운 장면이 눈앞에 펼쳐졌다. 밤하늘에 복사꽃인지 벚꽃인지 알 수 없지만 수많은 꽃들이 만개해 흐드러지게 피어 빛나기까지 하는 것이 아닌가?

〈아! 이것이 중간계입니까? 너무나 아름답습니다! 이렇게 꽃이 아름답게 핀 것은 본적이 없습니다!〉

황홀경에 빠진 그와는 달리 노르부는 가늘게 눈을 뜨고 만개한 꽃들을 바라보고 있었다.

〈저것이 아름다운 복사꽃처럼 보이는가?〉

〈그럼, 아닙니까?〉

노르부는 아무 말 없이 계속 걸음을 옮기었다. 그들이 가는 길 내내 밤하늘에는 꽃의 향연이 아름답게 펼쳐져 있었다. 얼마가지 않아 그들은 환한 장소로 갈 수 있었는데 주변이 역시 흐드러진 꽃들로 만개한 큰 샘터였다.

샘의 물빛은 흰빛이었는데 둥글게 원을 그리며 돌고 있었다. 그 광경이 너무나 아름다워 그는 어떻게 표현할 수 없었다. 그리고 하늘에 흐드러지게 피어난 꽃들이 그 샘물에 한잎 두잎 떨어지고 있었다.

〈이런 곳을 무릉도원이라고 하는군요. 가히 마음을 빼앗길 만합니다.〉

이 말을 듣자마자 노르부는 소리쳤다.

〈마음을 뺏기다니! 정신 차리게!〉

그는 노르부의 역정에 퍼뜩 놀라 금강저를 다시 다잡는 모습을 보여 주었다.

〈저 꽃잎들을 자세히 보게. 저것은 꽃이 아니야. 저것이 어디 꽃의 모양인가?〉

그가 자세히 보니 그것은 작은 별빛같이 생겼다.

〈저 빛들은 모든 생명체들의 영혼들이네. 영혼은 그들의 아버지인 빛의 모습그대로 만들어 졌네. 이 땅위의 생명체들과 인간의 현상계의 모습은 대지의 여신이 그 영혼을 가장 잘 성장하게 만들 수 있는지 연구하여 영혼의 성장을 도울 수 있는 구조로 창조한 것이네.〉

〈그럼 저것이 모두 영혼들입니까?〉

〈그렇다네. 정확히 말하면 현상계에서 죽음을 맞이하여 중간계에 들어온 영혼들이네.〉

〈저 영혼들은 어떻게 되는 것입니까?〉

〈저길 보게나. 저기 저 흰색의 깨끗한 샘물을 보게. 그리고 저기로 떨어지는 영혼들을 보게나. 그들은 저 곳을 통해 새로이 현상계에서 육신을 얻어 다시 태어나는 것이네. 동물로도 식물로도 그리고 눈에 보이지 않는 작은 존재로도…….〉

그는 천천히 샘물로 다가갔다. 가까이에서 본 샘물은 물이 아니었다. 마치 백색의 안개가 소용돌이치고 있는 듯 보였다. 그곳으로 아름답게 빛들이 떨어져 내리고 있었다.

〈저기 떠 있는 영혼들은 저마다의 의식에 빠져 있다네. 현상계에서 죄를 많이 지은 영혼은 자신의 죄의식이 만들어낸 지옥에서 고통을 받고 있지. 그리고 그 죄만큼 죗값으로 자신의 다음 생을 자신의 영혼이 결정한다네. 영혼의 성장을 위해서지.〉

그는 문득 전에 승려 케장이 했던 이야기에 생각이 머물렀다. 분명 케장 역시 이 비슷한 말을 한 적이 있었다.

〈그렇다면 여기가 '사자의 서'입니까?!〉

〈저 흰색의 샘을 보게나. 무한한 힘의 원천이고 만물 순환의 원천이며 모든 시작과 끝의 기록인 '사자의 서'이네. 저것은 수레바퀴와 같은 우리네 삶의 원인인 것이네.〉

순간,

이상하였다. 이상한 기운에 그는 주변을 살피기 시작했다.

'끼룩 끼룩.'

이상한 새가 하늘을 날고 있었다. 흰 색의 몸에 회색의 날개를 가진 새였다. 아니 새들이었다. 점점 더 많아 졌다.

〈저··· 저 새는 무엇입니까?〉

그는 다급히 노르부에게 물었다.

〈어허! 이 일을 어찌할꼬! 저 새는 갈매기네!〉

〈네에?!〉

이윽고 주변이 푸른 물빛으로 변하기 시작했다. 그리고 '쏴아 쏴아' 파도소리가 들리기 시작했다. 바다였다.
〈자네! 어서 정신을 다잡게. 지금 우리는 자네의 깊은 무의식속에 들어 온 것 같으니!〉
〈핫!〉

오래전이었다. 그의 나이 17세였다. 그는 모든 것을 잃었다. 아버지도 암살 당하셨고 형제들도 그를 죽여 내치려 했다. 그는 생에 처음으로 바다가 어떻게 생겼는지 마지막으로 보고 죽고 싶었다. 그는 말을 달려 땅의 끝에 도달했다. 그리고 그는 하늘을 나는 백색의 자유로운 넓은 날개를 가진 새를 보았다. 끝도 없이 펼쳐진 푸른색의 바다를 드디어 만났다. 그는 저 흰색의 새가 되고 싶었다. 새가 되어 저 드넓은 바다를 자유로이 날고 싶었다. 그는 그렇게 거기서 다짐을 했다. 저 바다 건너까지 자신의 것으로 만들겠다고.
40세가 될 때까지 그는 그때의 바다와 그 바다위로 날아오르는 자유의 새를 가슴 깊숙이 감추어 두었다.
그리고 그는 여기서 다시 그 바다를 만났다.

〈옴 서나미자 사바하! 어서 금강저를 들어 올리게!〉
알 수 없는 진언을 외우며 노르부가 말했지만 그는 오래전 그 바다가 가슴 벅차게 펼쳐졌던 땅의 끝의 바닷가 절벽에 서 있었다.
〈이보게, 테무진! 정신차렷!〉
그의 의식은 서서히 노르부도 지우고 있었다. 점점 노르부는 그의 시야에서 사라져 가고 있었고 그에게 각인되었던 당시의 감정이 생생히 되살아나 그의 의식을 지배하고 있었다. 터질 듯한 분노와 깊은 나락으로 떨어진 절망감과 슬픔, 그리고 그런 감정을 일시에 날려 보내는 바다를 날아오르고 있는 자유로운 그의 의식과 죽음을 각오한 결심들이었다.

한편 노르부는 멍하니 의식을 '사자의 서'에 빼앗기고 있는 그에게서 금강저를 낚아챘다. 그리고 멀찍이 물러서서 정신을 집중하는 듯 눈을 감았다. 이윽고 금강저를 머리위에까지 높이 치켜들고 보리심 진언을 외우기 시작했다.

〈옴 서나미자 사바하! 옴 서나미자 사바하! 옴 서나미자 사바하!〉

노르부가 세 번째 진언을 외우자마자 금강저를 관통하여 강렬한 빛줄기가 쏟아져 테무진에게 떨어졌다.

무의식의 바닷가 절벽에 서 있는 그는 하늘이 갑자기 흐려지기 시작하자 동요하기 시작했다. 그리고 바닷가 멀리 하늘 위에서 벼락이 치는 것을 보았다.

〈옴 서나미자 사바하!〉

'쿠과과과과광!'

이번엔 바로 눈앞에 떨어진 벼락에 걸맞은 엄청난 크기의 천둥소리와 바람이 불어 닥쳤다.

그의 무의식 바닷가에도 귀를 찢을 듯한 천둥소리가 울리었다. 17세의 그는 두려움과 더불어 몸을 웅크리고 서서 바람이 세차게 불어 닥치는 주변을 살피며 불안해했다.

〈옴 서나미자 사바하!〉

무서운 속도로 칼날 같은 빛줄기를 쏘며 거대한 벼락이 그를 향해 쳤다. 순식간에 환한 빛이 주변을 압도하고 눈앞에서 불꽃이 튀는 것이 보였다. 그는 벼랑에서 무릎은 꿇고 쿵하고 주저앉아 하늘을 살폈다. 가슴을 정통으로 가격한 번개에 그는 숨이 멎는 듯했다. 이윽고 엄청난 천둥소리와 더불어 천둥소리만큼 큰 진언을 암송하는 소리가 들려왔다. 그리고 비가 내리기 시작했는데 그는 저린 가슴을 움켜쥐고 놀란 눈으로 빗줄기를 손으로 받아 들고 있었다. 벼랑 끝 저 멀리서 백발의 머리를 틀어 올리고 누런 가사에 검은 색 천을 두른 노인이 걸어오고 있었다. 그는 한참을 그를 바라보고 있었다. 점점 그 노인이 다가옴에 따라서 그의 동공은 커져갔다.

〈이제 마지막 세 번째 번개네! 옴 서나미자 사바하!〉

노인이 이렇게 외치더니 날아올라 양쪽에 날카로운 세 개의 창을 가진 긴 무기로 자신의 가슴을 찌르는 것을 보고는 얼어 버린 듯이 눈을 감았다.

〈눈을 뜨게! 테무진!〉

그가 눈을 떴을 때는 그의 의식을 지배하고 있던 모든 환영들이 사라지고 없었다.

〈이곳을 어서 벗어나세. 자네는 아직 금강저 없이는 보리심을 지킬 수 없네.〉

그는 천천히 일어나면서 가슴을 쓸어 내렸다. 아직도 가슴이 먹먹하고 멍한 기분이었다.

노르부는 어깨에 늘어뜨린 검은색천안에서 손아귀에 잡을 수 있을 만큼 작은 검은색 상자를 꺼내어 그에서 내밀었다.

〈상자의 뚜껑을 열어 보게.〉

동으로 된 상자 뚜껑의 걸쇠 고리를 들어 올리고 뚜껑을 열자 상자안도 검은색이었다.

〈'사자의 서'의 샘물을 여기에다가 담게나.〉

〈하지만 저것은 샘물이 아닙니다. 안개 같은 것을 어찌 이 작은

상자에 담을 수 있습니까?〉

승원장 노르부는 시범이라도 보일 기세로 큰 샘터로 다가가 무릎을 꿇고 백색의 연기처럼 소용돌이치는 샘에다가 손을 담가서 두 손을 받쳐 떠내는 시늉을 했다.

그는 반신반의하는 기분으로 노르부옆의 샘터 가에 한쪽 무릎은 구부리고 한쪽은 세운 채로 작은 상자를 살며시 옆에다 놓아두고는 두 손을 샘에 담그었다.

이상한 느낌이었다. 마치 따뜻한 아내의 속살을 만지는 듯한 온기 그 이상의 느낌이었다. 그것은 샘과 따뜻하고 애정 넘치는 대화를 나누는 듯한 기분이었다. 그는 무생물과 이런 류의 이상한 교감을 느낀 것은 처음이었다. 그리고 두 손 가득히 샘의 백색 연기를 퍼올렸다. 두 손 가득히 느껴지는 이 위로의 느낌을 무어라고 표현할 수가 없었다. 이윽고 그는 그 백색의 연기를 작은 검은색 상자에 담았다. 검은색 상자에 담긴 백색의 연기는 놀랍게도 그 안에서 작은 소용돌이를 만들며 돌고 있었다. 마치 작은 또 다른 샘터를 만든 것 같았다.

그때였다.

그는 잊혀졌던 기억을 떠 올렸다. 한 번도 기억에서 떠 올려 본 적이 없는 그런 기억이었다. 아니 기억하리라고는 생각할 수 없는 그런 기억이었다. 그것은 어머니의 자궁 안에서의 기억이었다. 포근하고 부드러우며 안전하고 위로가 되고 따뜻한 느낌은 '사자의 서'의 샘물에 손을 담갔을 때 기억 속에서 부활하였다. 어디선가 낮은 심장박동소리가 들리기 시작했다.

〈테무진! 또 무슨 생각을 하는가?! 어서 돌아가야겠네!〉

퍼뜩 정신이 들은 것은 이런 노르부의 호통 때문이 아니었다. 그것은 불현듯 그들 앞에 뛰어 날아온 거대한 괴물 때문이었다.

〈도··· 도망쳐야 겠네! 결계를 지키는 파드마 삼바바의 그 백호네!〉

얼굴은 호랑이처럼 생겼지만 이마 중간에 커다랗고 뾰족한 뿔이 나 있었고 목과 어깨는 사자의 갈기 마냥 무성하게 눈부신 흰색의 털을 나부끼며 몸통은 잘 단련된 사냥개처럼 늘씬하게 빠진 큰 백호였다.

화가 잔뜩 난 백호는 날카로운 이빨을 드러내며 호랑이와 개를 합쳐 놓은 듯한 괴력의 소리로 포효하고는 날아올라 그들을 덮치려 했다. 이때 노르부가 그의 허리춤에 끼워둔 측백나무가지를 뽑아들어 달려드는 백호를 향해 가격했다.

'케깨깨깨깽!'

나뭇가지는 '쌩'하는 바람소리를 내며 백호의 얼굴을 가격했고 거대한 정전기가 일어 '지지직' 소리를 내며 백호를 그 자리에서 내동댕이 쳐냈다.

〈어서 뛰어!〉

그와 노르부는 뒤도 돌아 볼 틈 없이 왔던 길로 달리기 시작했다. 그들이 달음질치는 뒤로 곧바로 정신을 차린 백호가 달려오고 있었다.

곧이어 어둠의 결계에 다다랐다. 급하게 노르부는 항마진언을 외기 시작했다.

〈옴 소마니 소마니 훔 하리한나 훔 하리한나 바나야 훔 아나야혹 바아밤 바아라 훔 바탁!〉

순식간에 뒤쫓던 결계의 백호와 도망치는 그 그리고 노르부가 마치 푸른색 하늘 위에 떠서 모든 시간이 멈춰진 듯 움직임이 없었다. 노르부의 이마 앞쪽의 초록색구만이 마치 살아 있는 듯 빛을 발산하고 있었다. 그는 이건 또 무슨 조화속인지 종잡을 수 없는 시간과 공간의 변화에 어지러움을 느꼈다.

갑자기 어두운 나락으로 떨어지듯 몸은 깊은 어둠속에 빨려 들어가고 있다고 느꼈다. 급격한 공간의 미끄러짐에 그도 모르게 입에서는 비명이 터져 나왔다.

저 멀리 틈에서 새어나오는 빛을 감지한 그는 동굴 출입구의 검은 안개에서 느꼈던 차가운 공기가 몸을 스쳐 지나는 걸 알았다.

〈승원장님! 입구입니다!〉

〈어서 가세. 입구까지 결계의 백호가 쫒아 올 걸세!〉

가까스로 빛을 더듬어 입구의 틈으로 두 사람이 무사히 빠져 나온 뒤 노르부는 큰 소리로 말했다.

〈어서! 입구의 문을 폐쇄하라!〉

영문은 모르지만 모두들 일사천리로 움직여 쇠줄을 풀기 시작했다. 그리고 모두들 합심하여 무거운 쇠문을 어둠의 동굴 쪽으로 밀어 붙였다. 쇠문은 약간의 밀어붙임으로도 '쿵'소리를 내며 닫히었다. 아마도 반대편 문 쪽에도 자철석 장치가 되어 있는 듯했다.

'크아아아아아앙!'

곧 이어서 동굴을 울리는 괴성이 메아리쳐서 모두들 귀를 막아야 될 지경이었다.

〈저 백호가 쇠문을 열고 나오지 않을까요?〉

그는 다급히 쇠문 앞을 세차게 몸으로 밀어 붙이며 말했다.

〈걱정하지 말게. 파드마 삼바바께서는 암흑의 결계를 정리하실 때 저 백호에게 '사자의 서'에 대한 수호의 임무를 주었으므로 그 명을 어길 수는 없을 것이네.〉

노르부의 말에 꼬리를 붙잡고 승려 케장이 끼어들었다.

〈파드마 삼바바의 호랑이가 결계에 있습니까?〉

〈가히 호랑이의 둥지가 아닌가?〉

고개를 끄덕이며 노르부가 안도하듯 말하였다.

〈'사자의 서'……, '사자…의 서'는 구하셨습니까?〉

승려 케장이 말을 더듬거리면서 그의 얼굴을 쳐다보며 물었다. 그는 손에 들고 있는 작은 검은색 상자를 내밀어 모두에게 보여주었다.

〈그 상자는 동굴 속에 있는 어둠의 물질로 만들어졌네. '사자의 서'의 누출을 막는 작은 결계의 역할을 할 것이네.〉

노르부는 이렇듯 철저히 그의 출현을 기다리고 있었던 것일까?

노르부는 이야기를 마치고는 유유히 동굴입구의 연못을 향해 갔다. 모두들 노르부를 따라서 연못으로 나왔을 때 다시 측백나무의 가지에 올라 가부좌를 틀고 명상에 빠진 것을 볼 수 있었다. 모두들 처음에 그랬듯이 자신들이 할 일은 기다림이란 것을 알았다. 하지만 그는 한 가지 사실을 더 알고 있지 않은가? 용의 영혼의 힘인 여의보주의 힘을……. 빛도 뚫지 못하는 심연 속 어둠의 바다를 일시에 저지시키던 그 힘을…….

모두들 숨죽인 듯 조용히 노르부를 응시하였다.

노르부의 몸은 일시에 녹색 빛으로 감싸였다. 그리고는 눈부신 녹색 구가 노르부의 이마 앞쪽에 나타났다. 모두들 눈부셔서 눈을 감싸고 있을 때 노르부의 몸 주변 초록빛들은 높이 쏟아 올라 측백나무의 가지와 가느다란 잎줄기로 빨려 들어가듯 빛의 잔해들을 남기며 급속히 스며들어 갔다. 그리고는 노르부의 이마의 녹색 구의 빛은 사라졌다.

그 후 노르부는 실신한 듯 나뭇가지에 쓰러 졌다. 모두들 달려가서 노르부를 나뭇가지에서 내렸다.

〈여의보주는 용의 영혼이므로 도력이 너무 세어 인간의 몸이 견뎌내기 힘에 겨웠는가 봅니다.〉

승려 케장이 걱정스러운 듯 말하며 노르부를 부축하여 젊은 승려의 등에 업혔다.

이윽고 일행은 탁상곰파인 호랑이 둥지에서 나왔다. 눈부신 햇살이 내리비치는 오후였다. 그는 깊이 숨을 들어 쉬었다. 마치 억겁의 세월을 지난 듯 느껴졌다. 그리고 그의 눈앞에 매시마다 다르게 펼쳐진 세상을 보는 것이 즐거웠다. 그 세상은 이제 예전의 그가 알던 세상과 다르다는 것을 깨달았기 때문이었다.

키츄라캉사원에 도달한 일행들은 노르부를 관저로 모시고 안정시켰다. 노르부의 상태가 그리 좋지 못했다.

노르부는 자리에 눕자 옆을 지키고 앉은 그에게 고개를 돌려 말했다.

〈이제 식장으로서 나의 임무는 끝났네.〉

〈그럼……, 저는 어찌 합니까?〉

〈그대는 그대의 인생을 살게. 이미 세상에 생명이 생겨나기 전에 계획된 것이네. 아주 많은 시간이 흐른 후에 '사자의 서'는 그 운명에 따르게 되어 있네.〉

그날 밤 노르부는 입적하셨다.

다음날 노르부의 다비식이 있었다. 규모가 큰 키츄라캉 사원의 승려들이 모두 모여 들어 그의 이승에서의 마지막을 위해 예불을 올리고 경전을 암송했다.

다비식이 한창 진행되던 중에 이상한 일이 있었다. 3개의 빛을 내는 둥근 별과 같은 형상이 나타나 하늘로 움직여 올라갔던 것이다. 모두들 올리던 예불을 멈추고 탄식하며 떠들썩했다.

〈그는 열반에 오르셨습니다.〉

그 장면을 함께 보고 있던 승려 케장이 조용히 말했다.

〈그것을 어찌 아는가?〉

〈저것은 노르부 승원장님의 영혼입니다. 도력이 출중하셨던 그는 이제 환생의 굴레를 벗고 열반의 경지로 오르신 것입니다.〉

〈그렇다면 그는 '사자의 서'로 다시 가시지 않는 것인가?〉

〈예……, 전혀 다른 하늘로 가시는 것이지요.〉

하늘로 오르는 빛을 보며 그는 중간계인 '호랑이 둥지'에서 보았던 마치 벚꽃이 핀 것으로 착각할 만큼 많았던 영혼의 빛들을 떠올렸다.

이상한 일은 이것뿐이 아니었다. 다비식 내내 하늘에는 오색구름이 찬란히 나타났다가 홀연히 사라졌다. 그 이후 다비식이 끝나고 세 개의 사리가 나왔는데 유리마냥 빛을 내는 작은 구슬처럼 생긴 사리였다. 하지만 이 빛을 내는 세 개의 사리는 어느 승려의 눈에는 보이지만 어느 승려의 눈에는 보이지 않는 기현상을 보였다.

그가 의아하여 승려 케장에게 그 이유에 대해 물어 보았다.

〈세상에 자신이 눈으로 보는 것이 전부라고 생각하십니까? 우리가 눈으로 알 수 있는 인지하는 세상은 천만분의 일도 안 되는 것입니다. 그러니 아직 우리 인간도 미물에 지나지 않는 존재들입니다. 다만 인연이 있는 것이 눈에 보일 뿐입니다. 비단 사리에 국한된 것이 아니라는 것입니다.〉

다음날 여정을 정리하고 일행은 다시 히말라야 산자락 마을로 향할 준비를 끝마쳤다. 호랑이의 둥지에서 그가 발견했던 금강저는 승려 케장의 의견에 따라 키츄라캉사원에 맡겨졌다. 그리고 '사자의 서'는 승려 노르부의 검은 상자에 담겨진 채 결국 그의 손에 들어 왔다.

그는 이상하게도 그의 마음속에서 끝이라는 생각보다 지금부터가 시작이라는 강한 의지가 자리 잡는 것을 느꼈다. 그리고 이것이 신의 계획이라면 그의 의지가 곧 운명이 되는 것이라는 것을 깨달아 가기 시작했다.

히말라야 산자락 아래에서 그는 세르파족 텐징과 합류한 후 '눈의 둥지' 히말라야를 넘었다. 그리고 무사히 텐징의 고향인 세르파족의 마을에 도착한 날 텐징의 셋째아들이 태어났다.

텐징은 그가 무엇 때문에 '눈의 둥지'를 넘었는지는 알 수 없었지만 '눈의 둥지'를 무사히 왕복할 수 있었던 것에 무한히 감사해 하며 눈물을 글썽이면서 자신의 셋째 아들이름을 테무진으로 지어도 되겠느냐고 그에게 물었다.

그는 오히려 영광이라고 말하며 기꺼이 이를 허락했다.

그는 이제 막 태어난 테무진을 안아 앞으로의 인생을 축복해 주었다.

제1장. 또 다른 제왕 4

4. 나이만의 서

나팔소리가 멀리서부터 울려 퍼졌다.

하루 전에 미리 보낸 파발이 일찌감치 도착하여 그의 소식을 알린 때문인지 사키아의 도시 곳곳에는 그에 대한 소문이 파다하게 퍼져 있었다. 새로운 제왕의 탄생이라는 둥, 미륵이 세상에 오신 거라는 둥, 한쪽에서는 새로운 파드마 삼바바가 나셨다는 둥, 어찌 되었든 간에 그의 영웅성을 드높이는 이러한 소문은 벌써부터 사키아에 만연해 도시를 뜨겁게 달구고 있었다.

원정대 일행은 의기양양하게 말을 타고 천천히 사키아로 입성하고 있었다. 성의 입구에는 성주인 드락파겔과 다음 성주인 꾼카 갤첸까지도 나와서 그의 무사귀환을 맞이하였다. 사키아 시내는 거의 축제 분위기처럼 술렁거렸고 그를 보려고 모인 인파들로 북적였다.

그가 성문 앞에 이르러 말에서 내리자 드락파겔이 무릎을 꿇고 새로운 제왕의 탄생을 알리며 예를 갖추었다.

〈위대한 호랑이의 제왕이시여! 신하됨을 허락해 주옵소서!〉

〈나는 사키아를 떠나기 전에 그대들에게 맹세 했었소. 당신들은 나의 신하가 아니라 나의 형제의 나라가 되어 주시오. 그리고 세상을 평정한 제왕이 되어 나라를 건립하게 되거든 그대들의 종교로 나의 백성들의 스승이 되어 주시오!〉

그의 이러한 약속은 훗날에 티벳을 평화로이 점령하는 이유가 되었고 사절단과 친분관계를 유지하며 기꺼이 조공을 바치는 계기가 되었다. 더 훗날 '사키아 팬디타'라는 이름으로 알려지게 되는 청년 꾼카는 1224년 칸을 초청하여 일시적으로 중부 티벳의 지배권을 부여받았으며 더 더 훗날에 이 사키아파는 원나라 쿠빌라이 칸의 왕사가 되어 중앙아시아의 통치권을 이양 받을 정도로 득세하는 이유가 되었다.

그는 목숨을 건 운명의 모험으로 원하는 것을 얻었다. 그리고 오래전 그가 목적한 자명한 의지를 향해 나아갔다.

그가 30여명의 토번원정대를 다시 이끌고 밤을 틈타 수도 아바르로 비밀리에 돌아왔다. 그의 입성이후 그 다음날부터 하늘에 괴현상이 일어나서 모든 백성들이 놀라고 두려움에 떨었다. 아무것도 달라진 것이 없는 멀쩡한 하늘에 태양이 두 개가 뜬 것이었다. 아무리 눈을 비비고 하늘을 쳐다보아도 태양은 두 개로 보였다.

그렇다고 하여 날씨가 더 뜨겁다든지 농작물이 말라 죽는다든지 하는 불상사는 일어나지 않았지만 마치 청동거울에라도 비친 듯이 쌍둥이 태양이 떡하니 아침이면 뜨고 저녁이면 지고는 하였다.

수도 아바르를 중심으로 사람들은 저마다 둘 이상 모이기만하면 하늘에 갑자기 나타난 또 하나의 태양에 대한 이야기를 나누었다. 세상이 이제 멸하려한다거나, 커다란 재앙의 전조현상이라거나 또는 두 명의 왕이 나올 것이라는 식의 논쟁을 벌이는 것을 어디서든 볼 수 있었다.

한편 그는 돌아온 그 다음날부터 모든 부족의 장들에게 파발을 보내 그가 제왕의 '사자의 서'를 얻어 왔노라고 알리기 시작하였다. 그리고 수일 내에 부족장회의를 소집하였다. 물론 단 한 사람, 옹칸은 그 소집에서 제외되었다.

이미 옹칸의 편에 서버린 부족장들은 그의 적극적인 접선을 무시하려 했지만 제왕의 '사자의 서'에 대한 이야기는 무척 확인해 보고 싶은 사실이었고 며칠째 사라지지 않는 두 개의 태양은 그들을 몹시도 불안하게 만들었었나보다.

이윽고 부족장회의에 7개부족의 부족장들이 전원 참석한 가운데 개최되었다. 그는 참모들과 함께 부족장들을 접견하였다.

〈나는 이미 하늘과 땅의 신들이 나의 편이라는 것을 보았소! 나는 죽음과 삶의 경계너머 신들의 거처에서 '사자의 서'를 구해왔소. 이제 이것은 나의 의지가 곧 운명이 됨을 보여줄 것이오!〉

그는 단호하게 역설하면서 '사자의 서'를 담은 검은 상자를 꺼내어 탁자위에 올려놓았다.

〈테무진, '사자의 서'는 인간세계의 것이 아닌 신계의 것! 그대가 그것을 구하였다면 그대는 신의 아들! 이제 우리 앞에서 '사자의 서'를 구해 왔다는 것을 증명해 보이시오!〉

〈그렇소! 우리에게는 명분이 중요하오. 그대가 그런 신물을 얻었다면 우리 역시 그 명분을 얻게 되는 것이오.〉

부족장들에게는 또 다른 배신과 야합의 행위에 명분이 필요했던 것일까. 다그치듯이 그에게 요구해왔다.

〈나는 당연히 여러 부족장들께 증명을 해 보일 것입니다. 하지만 그러기 전에 부족장들께서는 저에게 한 가지 약조를 해 주셔야겠습니다. 오늘! 이 자리에서 저를 따르기로 결정을 하신다면 죽음으로 운명을 달리 할 때까지 그 약조를 지키셔야 한다는 것입니다. 만일! 그 약속을 저버리신다면 저는 가차 없이 배신자의 목숨을 거둘 것입니다!〉

부족장들은 서로의 얼굴을 쳐다보며 못마땅하고 불편한 심기를 그대로 표정에 드러내었다.

〈좋소! 어서 증명하여 보시오!〉

그는 탁자위에 올려놓은 검은 상자의 걸쇠를 열고 뚜껑을 천천히 열었다. 모두들 숨죽인 채 '사자의 서'의 실체를 기다리고 있었다.

서서히 뚜껑을 열어젖히자, 상자 속에서 백색의 연기 같은 소용돌이가 위로 솟아올라 오면서 부족장들의 회의실 전체로 퍼져 나갔다. 그리고는 천천히 백색의 안개구름 같은 흰색 연기들은 방안 전체를 빙빙 돌며 회전하기 시작하였다.

회의실내의 부족장들은 거의 얼굴이 퍼렇게 질려서 잔뜩 굳어진 체 주위를 맴돌고 있는 백색의 소용돌이 연기를 보느라 눈알을 이리저리 굴리고 있었다.

〈이…… 이게…… 뭣이야!〉

어디선가 갑자기 엄청난 숫자의 말 발굽소리가 들려오기 시작했다. 모두들 굴리고 있던 눈알이 멈추고 귀를 기울이기 시작했다. 밖에서 들리는 말 발굽소리인지 아니면 안에서 들리는 것인지 도무지 갈피를 잡을 수 없었다.

이윽고 말 발굽소리는 점점 더 많이, 더 크게 들리었다.

그리고, 이게 웬일인가!

회의실은 온데간데없어지고 주변의 수만의 말을 타고 깃발을 휘날리고 창과 칼을 휘두르는 군사들이 밀리어 들어오고 있었다.

아연 실색한 부족장들은 의자를 넘어뜨리며 벌떡 일어서서 도망갈 준비를 하며 비명까지 질러 대었다.

〈으아아악! 이게 어찌 된 일이야!〉

그 순간, 그는 검은 상자의 뚜껑을 닫아 버렸다.

이상한 일이 일어났다. 엄청난 숫자로 괴성을 질러대며 금방 달려올 것만 같았던 말 탄 군사들이 일시에 갑자기 사라져 버린 것이었다. 비명을 지르며 피하려 했던 부족장들은 입을 다물 수가 없었다. 실로 대단한 신물이 아닌가!

그리고 그들은 일제히 바닥에 엎드려 그들의 패배를 인정하였다.

〈제왕이시여! 신의 아들을 몰라봄을 용서하소서!〉

〈그대들은 나의 신하가 아니다! 그대들은 나의 형제이다!〉

그날 부족장회의에서 있었던 일은 비밀에 부쳐졌다. 그리고 7개의 부족장들은 그에게 힘을 합할 것과 더불어 죽음을 담보한 충성을 맹세하였다.

그리고 신기하게도 그 일이 있은 후 하늘의 두 개의 태양 중 하나는 사라졌다.

그 이듬해 1204년, 그는 부족장들의 비밀스런 합세에 힘입어 고립되면서 종국에는 나이만까지 도망친 옹칸을 끝끝내 찾아내 살해하고 실질적인 몽골초원 전부족의 왕으로 등극하였다. 그리고 더욱 더 그 여세를 몰아 서쪽의 나이만을 정복하고 나서, 오랜 친구였지만 결국 결별하여 숙적이 되어 버린 자무카까지도 처단하기에 이르렀다.

이후, 거대한 몽골평원의 유목부족들을 하나, 둘 복속시켜 나갔다. 어떤 부족들은 오히려 그에게 우호적으로 자신들의 주권을 내어놓고 평화롭게 제국에 복속되기를 원하기도 하였다.

1206년, 드디어 제국건설의 서막이 올랐다. 그는 뜻대로 인구 100만의 백성을 거느린 대몽골제국을 세웠고 스스로를 천군인 징기스칸이라고 칭했다. 그는 단지 오래전 바닷가가 맞닿은 죽음의 절벽에서 그렇게 하리라고 굳게 다짐했던 그 원대한 꿈의 초석을 세웠을 뿐이었다. 그것은 세상의 주인이 되고자하는 의지의 일부분이었지만 '사자의 서'를 얻기까지의 그 모든 행로에서 그는 신의 뜻이 그의 뜻과 겹쳐짐을 전율처럼 느끼고 있었다.

거대한 히말라야 산 아래에 놓여있는 인간세상이라는 곳에서 자신이 꿈꿔왔던 이상적인 국가를 실현하기위해 법제도를 마련하여 약탈에 대한 엄중한 경계와 종교의 자유를 보장하는 국가법을 속속 발표하였다.
그 즈음에 거듭되는 승리와 제국건설의 벅참은 그에게서 예언처럼 들었던 운명에 대한 기억을 지웠다.
미로 같았던 승려의 도시 사키아에서 만났던 활불은 그가 이미 정해진 운명의 길을 걷고 있을 뿐이라고 말했었다.

'그대의 제왕의 기운은 두 개의 거대한 기운에서 나오는 것인데 그대는 머지않아 그 위대한 두 개의 기운을 모두 얻게 될 것이오. 그것이 그대의 운명이고 그대가 이 제왕의 운을 타고난 이유라는 것을 명심하시오.'

인간의 기억이란 운명 앞에서 얼마나 하잘 것 없는 것인가.
하지만, 어떤 경우에라도 운명은 서서히 다가오는 것.

제국의 초석을 마련하고 제왕이 된 그이지만 종교에 있어서만은 매우 관대함을 보였다. 그는 모든 신은 서로 통하는 존재라고 믿었고 운명의 지배자인 신들의 존재를 절대 무시하지 않았다. 그는 각 부족들이 믿는 모든 신들의 신당을 참배하였으며 그들의 모든 신들을 숭배하였다. 이런 그의 모습은 신을 자신들의 전부처럼 믿는 부족민들에게는 친근하고 긍정적인 요소로 작용하고 있었다.
그는 인간세상의 경계 넘어 신들의 세상을 다녀오지 않았던가.
신의 삶을 영위하던 노르부대원장의 해탈의 순간을 목도하지 않았던가.

나이만의 정복이후 그 아래쪽 타클라마칸 사막주변의 많은 부족들은 그에게 평화롭게 복속될 것을 자청하였다. 그들은 사막의 척박한 환경을 극복하며 오아시스를 중심으로 발달한 도시들이 대부분이었으며 성격이 온순하고 평화주의자들인 위구르족들이었다.

1208년, 그는 위구르의 우두머리 족장의 초청으로 타클라마칸의 대표적인 오아시스 도시인 우루무치와 카스로 향하였다.

우루무치와 카스, 두 도시에서 족장의 환대를 받았으며 그들의 이슬람사원을 방문하여 정오의 예배시간에 맞춰 그들과 더불어 그들의 신에 머리를 조아렸고 도교사원에 들려서는 향을 피워 참배를 하고 그곳의 우두머리에게서 도교에 대한 설교를 들었으며 두 도시의 통치자들의 영묘를 찾아 참배하고 존경의 뜻을 보임으로써 보는 이들에게서 무한한 믿음을 샀다.

그것은 통치자로서 민심을 얻기 위해서라기보다는, 영혼의 존재사실을 두 눈으로 본 징기스칸 본인의 의지와 믿음에서 나온 자연스러운 발로였다. 보는 이들은 그의 행동이 연기가 아닌, 진정성을 가지고 그들의 신과 그 땅의 조상들을 찬미함을 느꼈고 오히려 왕으로써 그의 그릇을 인정하고 긍정하였다.

두 도시의 순회를 마치고 돌아오는 여정에서 사막 주변의 또 다른 오아시스 도시 중에 하나인 투루판을 경위했다. 사막의 척박한 환경에 사는 그들이 땅속으로 수로를 파서 물을 이용하는 모습에 감탄하며 그 기술을 높이 평가하고 경이로워 했다.

환경에 적응해 가는 그들의 영특함 못지않게 투루판이라는 도시는 묘하게 사람을 끄는 매력이 있었다. 특히 도시 입구서부터 사막이 만들어내는 풍광은 혀를 내두를 정도로 이국적이고 아름다웠다. 생명들이 넘쳐나는 들판이나 멋들어진 나무들이 무성한 거대한 산이 아니라 풀 한포기 자라지 못하는 척박한 사막이 이토록 지나가는 나그네의 발걸음을 멈추게 할 수 있다는 데 그는 감동하였다.

〈허헛, 산이 마치 불타는 듯 하는군!〉

때마침, 저녁노을과 어우러진 모래암석 산이 이글이글 불타는 듯이 앞을 가로막고 있었다. 그의 이런 감탄에 엷은 미소를 머금고 있던 위구르족 안내인이 말을 받았다. 그 안내인은 그의 행로에서 통역과 안내를 맡고 있었다.

〈네 그러하옵니다, 칸. 저 산은 붉은 모래암석으로 이루어져 있으며 그 암석들의 주름진 모습들이 마치 불꽃처럼 활활 타오르는 모습이라고 해서 화염산(火焰山)이라고 부릅니다. 그리고 저희 위구르인들은 보통 '붉은산'이라고 부르고 있지요.〉

〈화염산? 흥미롭군. 말 그대로 불타는 산이란 말이지?〉

〈네 그렇습니다. 그리고 저 산에는 어린이를 잡아가는 '불의용'이 살고 있었는데 위구르족의 용감한 전사가 이를 처단하고 8토막을 내어 화염산이 8계곡이 되었다는 전설이 전해지기도 합니다.〉

이런 이야기를 나누던 중 10명 남짓의 사람들이 낙타를 타고 나타났다. 그들은 천하의 주인이 된 칸의 긴 행렬에도 아랑곳하지 않고 화염산을 향해 가고 있었다.

〈저들은 도대체 무엇하는 사람들인가?〉

그가 오히려 궁금하여 위구르족 안내인에게 물었다.

〈그들은 먼 동방에서 온 승려들입니다. 그들은 그 먼 곳으로부터 이곳을 거쳐 부처의 고향인 인도로 가고 있는 중입니다.〉

〈동방? 그런데 왜 저들이 저 화염산으로 가는 것인가?〉

〈그곳에는 베제클리크라는 거대한 불교 동굴사원이 있습니다. 그들은 순례의 목적으로 그곳을 들르는데, 그곳에는 천개의 불화가 벽화로 그려져 있는 곳입니다.〉

〈천개의 불화라? 나에게 그곳을 안내해 줄 수 있겠는가?〉

날이 거의 저물고 있는 사막에 있다는 것도 그에게는 상관없어 보였다.

위구르족 안내인은 말없이 머리를 수그려 답을 대신하고 그를 화염산으로 안내했다. 아마도 며칠간의 위구르부족 도시의 안내를 맡으면서 칸의 취향을 알아차린 듯했다. 그는 종교적인 장소는 가리지 않고 모두 섭렵하였기 때문이었다.

그것은 뭐랄까, 그에게 있어서는 사명 같은 거였다. 그것이 무엇인지 어떤 형태로 그에게 다가올 것인지 알 수가 없었고 자신의 제왕의 운명과 연결되어 세상을 위한 중요한 임무라는, 신이 그의 어깨에 얹어준 그 숙명이라는 것이 풀지 못한 수수께끼마냥 항상 가슴속에 숨겨져 있었다.

적막한 사막의 달은 높이 솟아, 그 자체만으로도 외로운 곳을 더욱 그러한 곳으로 돋보이게 만들고 있었다. 드넓은 초원을 사랑한 그였지만 이 광경은 히말라야의 눈 위에 솟은 달이 천국의 아름다움 보여주었듯이 사막만이 가질 수 있는 달의 풍광이었다. 그는 그 순간, 영적인 존재로서가 아니라 인간이라는 유물적 존재로서만 누릴 수 있는 이 아름다운 풍광에 취해 신계를 알고 있다는 사실을 차라리 지워버리고 싶었다.

화염산의 북쪽 강기슭 절벽에 놀랄만한 규모의 거대한 동굴 사원이 밝은 달빛 아래 모습을 드러내었다. 웅장한 성처럼 우뚝 가로막은 절벽은 그대로 하나의 사원으로 조각되었다. 수없이 많은 동굴의 입구들은 불이 켜져 있는 듯 빛이 새어 나오고 있었다.

〈이 곳은 모래암석을 파서 만든 동굴들로 이루어진 사원입니다. 일부는 진흙을 구워 쌓아서 만들고 그 위에 진흙을 덧바른 형식으로 만들어 졌습니다.〉

겨우 한 사람이 지나다닐 정도의 좁은 길을 따라가면 여러 개의 아랍식 아치형태의 동굴 입구를 만날 수 있었다.

순례를 온 아직 젊어 보이는 승려들은 낙타에서 내리고 절벽 초입에서부터 예불을 시작하였다. 그것을 조용히 지켜보던 그가 물었다.

〈모두 몇 개의 동굴이 있는가?〉

〈모두 77개의 동굴로 이루어져 있습니다. 안쪽으로 들어가 보시지요.〉

동굴들은 절벽 전체에 걸쳐 빙 둘러 뚫려 있었으며 절벽아래에는 강물이 흐르고 있었다.

동굴 입구서부터 심상치 않은 아름다움에 감탄하였으나 위구르족 안내인을 따라 들어간 동굴 안 벽화의 섬세함과 화려함에 압도될 수밖에 없었다.

각 동굴사원의 방에는 두 개씩 횃불이 양쪽 벽에 꽂혀 있었고 묘한 냄새를 내면서 타고 있었다. 그 횃불에 비친 불화들은 너무나도 아름다웠으며 그 규모도 경탄스러웠다. 각 동굴방의 벽은 빈틈이 하나도 없이 빽빽이 불화가 그려져 있었는데 석가모니와 그 제자들의 모습이며 석가모니에게 공양을 드리는 왕가의 모습과 신하들의 모습, 그리고 불교에서 내세우는 연옥의 모습 등이 세밀하고 환상적으로 표현 되어 있었다. 가히 저 멀리 동방의 나라에 까지 소문이 난 이유를 알만했다.

〈이 불화들은 아주 오래전부터 계속해서 그려진 것들입니다. 이 그림의 성스러움과 아름다움 때문에 이슬람교도가 대부분인 지금도 이곳을 신성한 곳으로 여기고 있습니다.〉

〈그렇군, 이곳에서라면 없던 불심도 생겨나겠는걸.〉

그의 말을 들은 위구르족 안내인은 그의 얼굴을 문득 쳐다보고는 말했다.
〈보여드릴 불화가 있습니다. 아마도 보시면 좋아하실듯하옵니다.〉
위구르족 안내인은 동굴사원 중에 16번째 방으로 그를 안내하였다.
그 방에 들어간 순간 그는 다른 동굴사원과 분위기가 사뭇 다름을 느꼈다. 우선 방마다 빽빽이 불화를 채워 넣은 것과는 달리 이 방은 거의 여백이 느껴질 정도로 비어 있었고 다른 방보다도 좀 더 커 보이는 규모에도 불구하고 들어가서 양옆의 벽에는 거대한 칼과 창을 들고 있는 험악한 모습의 금강지상들이 그려져 있었고 안쪽 벽에는 단 하나의 그림이 그려져 있을 뿐이었다.

헌데 그 그림은 뭐랄까. 그림 같지가 않았다.
선들이 가늘고 성숙되었으며 다른 벽화들과는 달리 그 불화는 마치 살아 있는 듯이 사실적이고 호수에서 안개가 피어나듯 몽환적이면서도 세련미가 돋보이는 명작이었다. 어두운 밤 달빛을 등지고 앉은 보살이 얇은 흰색의 비단베일을 머리에서부터 발끝까지 치렁치렁 늘어뜨리고 그 얇은 비단 속에 살과 옷들이 비치는 것까지, 현실보다도 더 사실적이고 아름다운 묘사는 세상에 태어나서 처음 보는 기법이었다. 왼손은 자연스럽게 내려서 살짝 버드나무가지를 잡은 것이 미인의 손가락마냥 가냘프고 섬세하면서도 부드러운 곡선을 가지고 있었고 등을 타고 흘러내리는 베일에 비치는 비단옷과 몸의 윤곽은 묘하면서도 사랑스러워 안고 싶을 정도였다. 사실적인 묘사는 그렇다 치더라도 달빛에 비친 살색의 부드러운 표현이며 은은한 달빛이 보살을 비추는 모습은 이제까지 어떤 불화에서도 본적이 없는 아름다움의 극치였다.

〈도대체 이 불화는 누가 그렸는가?〉

그는 화가 난 사람처럼 격앙되어 위구르족 안내인을 다그쳤다.

위구르족 안내인 역시 예상하고 있었다는 듯이 만족한 미소를 지으며 대답했다.

〈그것이, 이름은 모릅니다. 다만 저희가 알고 있는 것은 동방에서 온 승려의 작품이라는 것 외에는 없습니다. 그리고 그 승려가 비구승이라는 것입니다.〉

비구승이라는 말에 그는 넋 놓고 불화를 보고 있다가 위구르족 안내인을 죽일 듯 쏘아보았다.

〈비구승? 여자가 이 그림을 그렸다는 것이냐?〉

〈네 그러하옵니다. 저도 많은 수월관음도를 봐 왔지만 이렇게 아름다운 것은 본적이 없습니다.〉

〈도대체 그 동방의 나라가 어디인가?〉

〈네, 불교의 나라 고려입니다.〉

〈고려?〉

그 다음 순간 온몸이 얼어 버렸다. 수월관음도 속 보살의 허리춤에는 너무나도 생생하게 자신의 허리춤에 차고 있는 '사자의 서'를 담은 작은 검은 상자가 똑같이 그려져 있었기 때문이었다.

허리에 여러 번 가죽 끈으로 두르고 밑으로 늘려 뜨려 놓은 모습이 그대로 자신의 허리춤에 있는 바로 그 모습이었기 때문이었다.

눈앞에 번개가 치듯이 정신이 번쩍 든 그가 허리춤에서 칼을 재빨리 빼들고는 살기어린 눈빛으로 칼을 위구르족 안내인의 목을 향해 겨누었다. 그의 이런 돌발행동에 같이 따라 들어 온 참모들도 일제히 칼을 빼들었는데 위구르족 안내인은 영문을 몰라 온몸을 덜덜 떨고만 있었다.

〈이 놈! 네 놈의 정체를 밝혀라! 어째서 이 방으로 나를 데리고

들어 온 것이냐?!〉

그는 천둥치듯이 동굴 안을 드세게 울리며 소리를 쳤다.

〈저··· 저는······ 아무것도 모릅니다요. 그냥 칸께서 이 그림을 좋아할 것 같아서 이리로 모신 것입니다요.〉

그는 계속해서 위구르족 안내인의 목에 칼을 겨눈 체 참모들로 하여금 그 16번째의 방을 훑어보도록 명령했다. 하지만 그 방은 불화가 특별히 다른 것들보다 아름답고 세련되었다는 것 외에는 별다른 점을 찾을 수가 없었다. 그러다가 제베가 무언가 발견한 듯 벽에서 횃불을 빼내어 들고 안쪽 불화의 왼쪽을 비추었다.

〈칸! 이곳에 글이 쓰여 있습니다!〉

〈뭣이라?!〉

글이 쓰여 있다는 말에 그는 동물적이고 본능적으로 그것이 그의 숙명에 대한 암시일지 모른다는 예감이 확신에 가깝게 뇌리를 스쳤다.

〈저것이 무슨 뜻이냐?〉

여전히 칼을 겨눈 채 공포에 떨고 있는 위구르족 안내인에게 다그쳐 물었다.

〈저것은······, 한자어입니다. 고려국은 한자를 글로 빌려 쓰고 있습니다.〉

〈그래?! 그럼 저 뜻이 뭔지 아느냐?!〉

〈그······, 그것은······〉

'모든 성벽을 허문 자여!
나를 버려야 모든 것을 얻음이라!'

그것은 마치 그에게 전해지는 서찰 같은 내용이었다.

전혀 예상치 못한 타클라마칸사막과 맞닿은 불타는 듯이 요상한 산의 절벽에서 그는 그의 또 다른 숙명과 마주하고 있었다. 신계의 암흑물질로 만들어진 검은 상자와 똑같은 것을 허리춤에 차고 있는 아름다운 보살이 그 자신의 모습을 그대로 투영하고 있었다.

그리고 승승장구를 거듭하여 모든 성벽을 무너뜨린 자신에게 하는 조언 같은? 아니, 암시인가? 아니면……, 교훈? 도대체 뭐란 말인가, 그 글은!

〈나를 버려야 모든 것을 얻음이라? 나를 버려야……〉

그는 잠시 생각에 잠긴 듯했으나 바로 큰소리로 참모들에게 명령했다.

〈병사들을 부르라! 그리고 이 벽을 부수라!〉

진흙으로 바른 벽은 병사들의 철퇴와 쇠로된 무기로 쉽게 허물어져 내렸다. 아름다웠던 고려 비구승의 불화는 순식간에 조각나 버리고 커다랗게 뚫린 벽 너머에 빈 어두운 공간이 나타났다.

위구르족 안내인은 아름다운 불화가 부셔져 버린 안타까움과 벽 안쪽에 나타난 빈 공간으로 하여 놀라움에 입을 다물지 못하고 있었다.

〈횃불을 가져 오라!〉

제베가 들고 있던 횃불이 그의 손에 전해졌다. 횃불을 받아든 그는 역한 냄새에 갑자기 두통을 느끼며 횃불의 상태를 확인했다. 횃불은 송진이나 돼지기름이 아닌 그가 본적이 없는 물질로 만들어진 듯했다.

〈도대체 이 횃불은 무엇으로 타는 것이기에 이토록 역한 냄새를 내는가?〉

〈그것은 저희 투루판에서만 발견되는 검은 물로 만들어진 것입니다. 이 검은 물이 어느 날 불이 붙는 것에 착안하여 불교의 승려들이 사용한 것 같습니다. 자세한 것은 이곳을 관리하는 승려들이 알고 있습니다만……〉

그는 코를 틀어막고는 동굴 속 어두운 공간으로 들어갔다. 그 뒤를 참모들과 안내인이 따랐다.

'나를 버려야'에 대한 그의 해석이 맞은 것일까?

세련된 고려불화 뒤의 공간 역시 비슷한 방으로 되어 있었는데 그 벽에도 벽화가 그려져 있었다. 하지만 벽화는 분위기가 전혀 딴판이었다. 흰색의 길쭉한 모자를 쓰고 흰색의 가사를 걸친 12명의 사람이 그려져 있었다.

〈이 그림들은 다 무엇인가? 불화인 것 같지는 않은데.〉

〈이… 이것은…… 마니교도 들입니다!〉

그의 질문에 위구르족 안내인은 무척 흥분된 목소리로 말했다.

〈마니교?〉

〈네, 그렇습니다. 위구르인들이 이슬람교로 한 종교를 갖기 시작한 것은 불과 200년도 안되었습니다. 이 마니교도의 벽화는 그보다 훨씬 이전인 약 500년 전의 것입니다. 그때는 많은 위구르족들이 마니교이외에도 경교(기독교), 불교, 배화교등 다양한 종교를 믿고 있었습니다. 저기 저 그림들은 그 마니교의 사제들인 것 같습니다.〉

위구르족 안내인은 그보다도 더 흥미로워하며 벽화의 여기저기를 살폈다.

〈이것은 고대 위구르어인 것 같습니다만, 읽지는 못할 것 같습니다. 제가 가지고 있는 책들을 좀 뒤져보면 혹시 해독이 가능할 지도 모르지만.〉

〈글이 쓰여 있는가?!〉

〈네, 하지만 여기 쓰인 글들은 시기상 오래전의 것이라서 고대어와 위구르어가 혼용된 것 같습니다. 앗, 이 부분은 현재의 위구르어로 되어 있습니다!〉

〈무어라고 되어 있는가?〉

〈'13번째 제자인 어둠의 주술사'라고 되어 있습니다.〉

〈13번째 제자? 그런데 이 벽화는 모두 12사도만이 그려져 있지 않은가?〉

〈아아, 제가 고대서를 그냥 허투로만 읽은 것이 아니었네요! 제가 읽은 오래된 역사서에서 이곳의 지명이 '카랑구 박시'(위구르어; 어둠의 주술사)로 되어 있었습니다. 그런데 그것을 이렇게 여기서 확인하게 되다니요! 오오, 알라여!〉

위구르족 안내인은 격앙된 표정으로 신을 부르고 있었다.

〈그대가 읽은 그 고대서에서 '카랑구 박시'와 관계된 것이 있다면 기억나는 대로 말해보라.〉

〈많은 내용이 기록된 것은 아니었습니다. 그러나 제가 알고 있기로는 마니교도의 교리는 어둠과 빛을 근본적인 대립의 실체로 보고 있습니다. 그리고 그 고대서에서는 어둠을 뜻하는 '카랑구 박시'란 파멸을 의미한다고 했습니다.〉

〈파멸?〉

그는 갑자기 소름이 돋음을 느꼈다. 숙명의 끝에 무엇이 있는 지 그 자신도 알 수 없었지만 파멸이 그 대답이라면 그는 신의 의지와 함께할 수 없는 노릇이었다.

이렇게 심리적인 혼란 상태에 빠져 있을 때 그의 허리춤에 차고 있던 검은 '사자의 서'상자가 이상해졌다. 숨을 쉬듯이 상자의 모양이 제멋대로 일그러졌다. 다시 제자리로 돌아 왔다가는 다시 일그러지고 있었다.

〈지금! 이것이 내 눈에만 이렇게 보이는 것인가?!〉

그는 소스라치게 놀라 소리쳤다.

〈네?!〉

제베가 그의 곁으로 급하게 다가오는 것을 본 듯했지만 갑자기 그의 시야에서 다른 이들이 사라졌다. 그는 순간적으로 양미간에 핏대를 곤두세우고 정신을 차리려 노력했다. 그리고 다시 주변으로 고개를 돌려 보아도 그의 시야에는 아무도 보이지 않았고 요상하게도 아까 분명히 깨부수어 뚫었던 벽은 말끔하게 부순 흔적이 사라지고 원상 복구 되어 있었다. 방 한가운데는 덩그러니 그 혼자서 횃불을 든 채 두 눈을 부릅뜨고 주위를 두리번거리고 있었다.

'이건 뭐지?'

이것은 마치 '사자의 서'를 얻기 위하여 들어갔던 신들의 결계인 중간계, '바르도 퇴톨'에서처럼 전혀 다른 시공간이었다. 그는 또 다른 숙명이 앞에 놓여 있음을 직감했다. 그 시공간을 회피하지 않고 천천히 주위를 경계하며 한 발짝 내딛었다. 그것은 그가 운명에 맞서는 방법이었고 지금은 자신도 알지 못하는 숙명이 자신의 삶을 지배하고 있음을 영혼 깊숙이까지 느끼는 순간이었다.

그때, 허리춤에 찼던 검은 상자에서 마치 검은 안개 같은 물질들이 나와서 공간을 부유하기 시작했다. 그 안개들이 그의 뺨을 스칠 때면 그는 끔찍하게 그의 숨과 온 몸을 죄던 칠흑 같았던 검은 쇳물안개의 섬뜩한 차가움을 상기했다.

그는 눈을 이리 저리 굴리며 부유하고 있는 검은 안개를 주시하고 있었다.

그러더니 앞쪽 벽면의 벽화가 지워지기 시작했다. 아니 그 검은 안개가 벽화를 지우고 있다는 것이 맞겠다. 그는 그런 현상들에 현혹되지 않으려 안간힘을 썼다. '사자의 서'에서 그가 보리심을 지키지 못해 자신의 영혼을 '사자의 서'로부터 지배당했던 경험을 알기에 어떤 경우라도 평정심을 잃지 않고 다만 응시하고 있었다.

검은 안개는 서서히 벽화를 지우고 벽마저 지우고 있었다. 앞에 보이는 벽이 마치 벽화라도 되는 듯 지워져 버리고 그의 시야에서 사라졌다.

그리고 눈앞에 나타난 또 다른 방!

그의 횃불에 희미하게 한 사람이 비치었다. 검은 머리에 검은 수염을 기른 남자는 그의 나이 정도로 보였고 이목구비는 아랍인인 것 같았다. 흰색의 옷을 걸치고 있는 남자의 목에는 까마귀의 깃털 모양처럼 생긴 뾰족한 검은 문신이 그려져 있었다. 남자 앞에는 작은 책상이 놓여 있었고 그 책상위에는 작은 램프가 켜져 있었으며 무언가 열심히 쓰고 있는 듯했다.

그러다가 흠칫, 남자가 그를 의식한 듯 고개를 들어 그를 발견하고는 하던 일을 멈추었다.

〈손님이 온 것도 모르고 있었습니다.〉

놀라울 따름이었다. 검은 머리의 남자는 그에게 말을 걸어 왔고 그 말은 그가 알아듣지 못하는 언어였지만 그것이 무슨 뜻인지 저절로 알 수가 있었다.

그 자리에 얼어 버린 듯이 그는 꼼짝할 수가 없었다.

'뭐지? 이 자는?'

그의 심중을 읽기라도 한 듯이 남자가 하던 일을 멈추고 그에게로 다가 왔다. 그리고는 엷은 미소를 머금은 얼굴로 다시 말을 걸어 왔다.

〈기다리고 있었습니다.〉

〈네?!〉

〈저는 이곳에서 거의 천년 세월을 당신을 기다리고 있었습니다.〉

〈천년?〉

놀라서 되묻는 그에게 그는 검은 맑은 눈동자로 그를 응시하며 고개를 살짝 끄덕였다.

〈왜입니까? 왜 저를 기다리는 것입니까?〉

남자는 귀신일까?

〈그것이 제 운명이기 때문이지요. 그리고 저와 마찬가지로 이것이 당신의 운명이기 때문입니다.〉

〈그럼 이것이 제가 짊어질 숙명과 관계된 일입니까?〉

역시 남자는 말없이 고개를 끄덕였다.

〈이것은 단지 어쩌면 수레바퀴가 돌아가도록 돌리는 일과도 같은 일입니다. 누군가는 수레바퀴를 돌려야지만 수레는 움직일 수 있으니까요. 그러니까 당신과 나는 수레바퀴를 돌리는 자들입니다.〉

알 수 없는 말이었다.

〈그럼, 당신의 운명적 임무란 무엇입니까?〉

그의 말에 남자는 잠시 감회에 젖는 듯 하더니 그의 얼굴을 뚫어져라 한 번 쳐다 본 후 방안을 천천히 서성이기 시작했다.

〈천 년 전 나는 나의 존재가 남들과 다르다는 것을 알게 되었습니다. 그것을 견디지 못하고 나는 아무도 살지 않은 첩첩산중으로 숨어들어 갔고 그곳의 동굴 속에서 죽은 듯이 살았지요. 어느 날 위대한 연금술사인 아살루히가 나를 찾아 왔습니다. 그는 세상 만물을 다스리는 법칙이 기록된 신서인 '운명의 돌'의 주인이었지요. 그는 나에게 그것을 번역하여 후대에 남길 것을 주문하고 사라졌습니다. 하지만 번역은 쉽지가 않았습니다. 그 언어는 이미 잊혀진 고대의 언어였으므로 그 돌들에 새겨진 글들을 보고 나는 영적인 힘으로만 해석할 수가 있었지요. 그것을 번역하는 데는 오랜 세월이 걸렸습니다. 그리고 나는 점점 이 일을 하기 위해서 이번 생을 살고 있다는 나의 운명을 언어적으로가 아니라 영적으로 깨닫게 되었지요. 그리고 오랜 세월을 기다려 그것을 당신에게 넘겨주는 것 또한 나의 임무임을 알았지요. 결국엔 남들과 달라 저주스러웠던 나의 삶도 받아들일 수 있었답니다.〉

〈그렇다면 제 운명은 그 책을 받는 것입니까?〉

〈네 그렇습니다. '음자(陰子)의 서'입니다.〉

〈'음자의 서'? 도대체 그 책에는 무엇이 기록되어 있습니까?〉

〈세상만물의 법칙입니다. 그 시작과 끝.〉

말을 끝내자 남자가 얼굴에 미소를 띠더니 무릎을 꿇고 앉아 그의 허리춤에서 길게 내려뜨린 검은 상자를 쳐다보았다.

〈세상 누구보다도 이 상자에 대해서 잘 알면서 실제로 보기는 처음입니다.〉

〈이 검은 상자 말입니까? 이 무서운 물질을 잘 아십니까?〉

그의 말이 끝나자마자 남자가 손을 상자 위로 가져갔다. 그러자 상자에서 검은 안개가 퍼져 나왔다. 그리고는 손을 이리저리 움직여 안개를 조정하였다. 그 광경을 보자 남자가 환희에 차서 말했다.

〈하핫, 이것이군요! 이것이었어! 마지막 순간에야 내 존재의 정체를 알게 되다니! 그리고 이제야 왜 내가 이 책을 번역할 수 있었는지도 알았습니다.〉

남자는 눈물을 흘렸다. 그리고 천천히 일어나 그의 얼굴을 마주하며 말했다.
〈여기까지입니다. 이것을 당신께 전해드리는 것으로 제 임무는 끝입니다. 우리는 둘 다 우주만물에 중요한 도구라는 것을 당신이 잊지 말기를 바랍니다.〉
그리고는 순식간에 검은 안개가 남자를 지웠다. 그 다음에는 남자가 앉아 있던 작은 책상과 램프와 종이들도 지우고 있었다.

그가 눈을 깜빡여 정신을 차리려 했을 때, 제베가 그의 팔을 붙잡았다.
〈칸! 괜찮으십니까?〉
〈……?!〉
그가 고개를 들어 주위를 살폈지만 순간적으로 짧은 꿈속에 빠져 있다가 깬 듯한 기분이었다. 주위에는 제3의 동굴도 검은머리의 남자도 없었다. 그는 고려인의 벽화를 뚫고 들어와 마니교도의 12제자가 그려진 바로 그 시공간에 돌아와 있었다.
그는 잠시 현기증을 느꼈다.
횃불에서 뿜어져 나오는 냄새 때문인지 심한 두통을 느끼며 현실감각을 일깨우려 정신을 다잡았다.
〈아니야, 괜찮다. 이 앞의 벽을 부수거라!〉
영문을 알 수 없는 그의 말에 위구르족 안내인은 안절부절못했다.
〈오오 저런, 이 유적을!〉
위구르족 안내인의 안타까움을 뒤로 한 채 그의 명령에 따라서 병사들이 가차 없이 벽을 부수었다.
벽의 뒤에는 그가 본 환상대로 또 다른 공간이 있었다.
〈이 16번째 방이 3중으로 되어 있을 줄이야!〉

위구르족 안내인이 입을 다물지 못했다.

그는 눈을 가늘게 뜨고 고개를 숙여 뚫린 벽을 통해 안으로 들어갔고 모두들 그의 뒤를 따랐다.

그가 횃불을 여러 개 더 밝힐 것을 명령하자, 방안이 환히 그 풍광을 드러내었다.

불이 이미 오래전에 꺼진 낡은 램프와 먼지가 수북이 쌓인 작은 책상이 눈에 들어 왔고 그 책상 앞에 앉아 있는 남자와 재회할 수 있었다. 하지만 남자의 모습은 환상 속에서 보았던 그 모습이 아니었다. 검은 수염과 검은 머리는 백발의 긴 머리가 늘어져 있었고 둥글게 등을 구부린 형태로 앉아 있는 그의 피부는 해골이 드러나 보일 정도로 말라붙어 있었다. 다만 남자의 목에서부터 어깨까지 새겨진 검은색의 독수리 날개 모양의 문신만이 동일인임을 말해주고 있었다.

〈미이라입니다. 상당히 오래된 것 같습니다.〉

남자에게 다가가 유심히 살피던 제베가 말했다.

환상 속에서는 보이지 않았던 남자가 앉아 있던 뒤쪽 벽에는 빼빽이 벽돌이 채워져 있었다. 자세히 보니 벽돌에는 무엇인가 글자가 쓰여 있었다.

〈저 벽돌을 자세히 살펴보라! 무엇이 쓰여 있는지 알겠는가?〉

위구르족 안내인이 한참을 살피더니 심각한 얼굴이 되었다.

〈이것은 전혀 해석이 불가능 할 것 같습니다. 점토판에 새겨진 글자들은 무슨 상형문자 같은데 오래된 고대어들인데다가 이런 형식은 수천 년 전의 것일 수 있습니다.〉

〈수천 년 전? 얼마나 수천 년 말인가?〉

〈글쎄요……, 3천년에서 4천 년 전의 것으로 추정됩니다. 아니면 그보다도 더 오래된 것일 수도 있습니다.〉

〈칸! 이쪽 벽에 벽화가 그려져 있습니다!〉

한 병사가 방의 입구 벽면을 횃불로 비추었다.

두 마리의 거대한 뱀이 서로 꼬여 올라가더니 위쪽에서 남자와 여자로 갈라져 손에 각각 직각자와 곡자를 들고 있는 모양이었다. 아니 어떻게 보면 뱀의 꼬리를 가진 남과 여가 서로 꼬리를 꼬고 있는 듯한 요상한 모습이었다. 그리고 그 두 남과여의 사이 위쪽에는 태양이 그려져 있었고 아래쪽에는 달이 그려져 있었다. 그 주변으로는 둥근 별들이 별자리를 만들고 있었다. 알 수없는 수수께끼 같은 그림이었다.

〈이건 도대체 무슨 그림인가?〉

그가 위구르족 안내인에게 물었다.

〈글쎄요, 이런 그림을 소인도 처음 봅니다.〉

그 알 수 없는 그림은 입구의 양쪽 벽에 똑같이 그려져 있었다. 수천 년 전의 것이라서 일까? 그림이든 점토판이든 동굴 속에서 발견된 것들은 어떤 것도 친근한 것이 없이 이상스러운 것들이었다. 이것들에서 그는 자신의 숙명을 찾아야했다.

도대체 남자가 전해 주려던 '음자의 서'는 어디에 있는 것일까.

그는 퍼뜩 남자의 말을 상기했다. 남자는 분명 오랫동안 세상의 법칙이 쓰여진 아살루히의 '운명의 돌'을 해독했다고 했었다. 그렇다면 저 점토판들이 그것들이란 말인가?

그러면 '음자의 서'는?

〈미이라를 샅샅이 살펴라!〉

병사들이 그의 명령에 따라서 앉아서 그대로 미이라가 된 남자의 몸을 살폈다. 입고 있었던 흰색의 가사는 낡아서 만질 때마다 으스러져 내렸다.

〈무엇인가 있습니다!〉

병사들이 무엇인가 발견한듯했다. 남자의 왼쪽 가슴 쪽으로 가사를 천천히 제거하고 나니 그 안쪽에서 무엇인가가 보였다. 병사들이 그것이 훼손되지 않게 잘 수습하여 빼내어 그에게 내어 놓았다.

〈책인 듯합니다.〉

이것이었다!

〈양피지로 만들어 진 것 같습니다.〉

위구르족 안내인이 말했다.

그는 또 다른 운명의 서를 한 장 넘겼다. 알 수없는 언어들로 쓰여 있었다. 남자가 영적인 힘으로 번역했다는 그것이었다.

〈무슨 뜻인지 알겠는가?〉

〈고대어로 되어 있지만 제가 가지고 있는 책들과 역사서들을 총망라하면 불가능한 문제는 아닐 것 같습니다. 한번 번역해 보겠습니다.〉

그 후 그는 동굴 속의 169개의 점토판을 비밀리에 이동을 시켰고 벽의 입구를 막아 버렸다. 그리고 위구르족 안내인으로 하여금 책을 번역하도록 명령하였으며 비밀리에 고대학을 연구하는 학자들을 모아 고대 위구르어를 연구하였다.

그들의 연구 활동은 언어연구로 대내외적으로 알려졌으며 실제로 그들은 위구르어와 고대 위구르어를 연구하여 몽골의 말에 적당한 언어를 만들어 내도록 명령받기도 하였다. 하지만 외부에는 '음자의 서'의 비밀연구에 대한 사실은 철통보안으로 함구되었다.

실로 그 이후는 그의 시대라고 해도 좋을 만큼 승승장구의 일로를 겪게 되는데 그는 영묘하고 사람을 능숙히 다루었다. 그는 기술을 가진 이들은 결코 전쟁에서 희생을 시키지 않았으며 인간의 두려움을 이용한 전술을 펴 공포스런 소문으로 이미 정신적으로 적을 섬멸하는 기지를 가지고 있었다.

한편으로 그의 통치자로서 면모를 볼 수 있는 부분은 그가 점령한 곳의 행정정비와 종교의 자유를 인정하여 선정을 베풀었다는 것이었다. 그리하여 그는 인간의 역사상 가장 넓은 영토를 차지하는 제왕이 되었다. 당시 중국일대의 금을 정복하였고 인도북부, 이란, 이라크, 아르메니아, 러시아를 정복하고 후에 그의 후예들이 유럽까지 원정에 나섰으니 그 점령지의 방대함을 더 이상 말할 필요도 없을 것이다.

또한 현대사회의 네트워크라고 해도 좋을 만큼의 방대한 네트워크 연결 시스템으로 현대의 우체국이나 공항이나 역과 같은 역할을 할 수 있는 말 교환소를 두어 아시아와 유럽을 잇는 방대한 소통로를 마련했다.

그리고 그가 한 또 한 가지 일은 역사상의 기록이나 이야기에서 '사자의 서'와 '음자의 서'에 대한 언급을 일체 지우도록 하는 작업이었다. 그렇게 하여 그는 그의 사후, '사자의 서'와 '음자의 서'에 대한 어떤 도발에서도 온전히 그것을 지키려했던 것일까?

사키아의 도심에서 만났던 활불의 예언대로 그는 오래도록 전장에서 많은 나라를 얻었다. 그리고 많은 백성을 얻었다. 하지만 1226년 이미 고령의 나이인데다 말에서 낙마한 이후로 건강은 날로 쇠하기 시작하여 1227년 8월, 운명에 종결점을 찍게 되었다.

그가 운명하기 전에 그는 자신의 죽음에 대해 은밀히 그리고 철저히 준비할 것을 명령하였다. 그는 참모들로 하여금 그의 사후의 무덤에 대한 명령을 내렸다.

그것은 미래의 신들의 계획에 대한 그의 배려이기도 하였고 그의 사명이라고 생각했던 것 같다.

그는 한 인간으로서 그냥 살아내는 것을 반항이라도 하듯이 결국은 제왕이 되었다. 그리고 그는 훈족의 왕들보다 더 오랫동안 인간의 역사에서 기억되는 인물이 되었다.

하지만 비밀이란 없는 것일까? '음자의 서'의 번역을 맡은 이들이 엄청난 비밀을 빼돌렸다는 이야기는 현대에서도 종종 술사들 사이에서 떠돌고 있다.

아직도 모두 169장의 양피지로 구성된 '나이만의 서'라는 이름으로 이를 찾아 헤매는 사람들이 있다고 한다. 항간에는 인피지로 되어 있다는 둥, 교황청 비밀 도서관에 일부가 보관 되었다거나 러시아 정교회에서 일부를 가졌다거나 아니면 흑마술을 신봉하는 이들이나 프리메이슨의 손에도 넘어갔다는 등의 설이 있다.

그러나 그들 누구도 징기스칸이 자신의 운명적 역할을 얼마나 완벽하게 수행했는지 짐작조차 할 수 없을 것이다. 그는 세상에서 가장 유명한 인물로 존재했으나 가장 남긴 물건이 없는 인물이 되었다.

과학이 발달한 오늘날에도 그의 무덤은 여전히 그 비밀을 완벽하게 지켜내고 있지 않은가?

제2장. 제왕을 꿈꾸는 자

1.제왕의 상을 가진 자

2.생명의 서

3.제왕의 무덤

제2장. 제왕을 꿈꾸는 자 1

1. 제왕의 상을 가진 자

1차 세계대전이 끝난 후, 1920년 6월

강의를 막 마친 오후였다.

나의 조교중의 한 명이었던 루돌프 헤스(Rudolf heß)가 나를 찾아 왔다. 경제학을 주로 듣던 학생이었지만 그는 나의 지정학 강의에 상당한 관심과 열정으로 학업에 임했었다.

부유한 집안에서 태어나 돈 걱정 없이 살아 왔던 도련님인 루돌프는 구김 하나 없이 말끔한 인상과 아름다운 외모 그리고 부드러운 성격과 매너로 누구든 호감이 갈만한 학생이었다.

그는 계속 공부를 더해보지 않겠냐는 나의 권유를 거절하고 장사를 해보겠다며 학교를 그만 두었다. 유하고 남을 잘 믿고 거짓말 한마디 못하는 그의 올곧은 성격상 장사꾼보다는 학자가 어울릴 사람이었지만 그의 고집을 꺾을 순 없었다.

그런 그가 오늘 무엇인가 상당히 격앙된 모습이었다. 평소에 침착하고 정돈된 모습의 정숙한 사람이었지만 이렇듯 상기되어 있는 것은 무언가 정치적 사건이나 견해에 열을 올리고 있을 때라는 것을 나는 직감했다. 하긴 요즘엔 어딜 가든 한 두 사람만 모이면 정치얘기를 하고 또한 정치이야기만 나오면 모두들 열변을 토하는 실정이었다.

독일은 패전으로 인해서 천문학적인 숫자의 돈을 배상해야만 하고 영토의 일부를 타국에 넘겨줘야 했다. 지난해 스페인독감이 퍼져서 많은 이들이 목숨을 잃어 민심이 흉흉해져 있는데 설상가상으로 배상금을 갚기 위한 지폐의 대량 제작으로 인해 물가가 올라서 빵 하나에 돈을 한보따리를 지고 가야할 판이었다.

일부에서는 100년을 갚아도 다 못 갚을 빚이라면 차라리 영국의 식민지가 되자는 자포자기적 발언도 나오고 영국과 프랑스, 미국등지에서 유대인 금융상인의 돈으로 전쟁자금을 대서 전쟁을 부추겼다는 소문으로 돈 많은 일부 유대인을 겨냥한 음해성 발언 등이 난무하고 있었다.

〈교수님, 교수님! 정말 대단한 사람을 만났습니다!〉

그는 눈을 반짝이며 나의 팔을 잡고 외치듯 말했다.

〈교수님이 항상 말씀하시던 시대의 영웅 말입니다! 지금 이시대의 독일에 꼭 필요하고 세기에 한명 나올까 말까한 역사적 인물을 제가 만났습니다!〉

〈허허, 사람 참! 흥분을 가라앉히고 천천히 말해 보게나.〉

나는 요즘 사람들의 정치적 토론이나 발언에서 이렇듯 흥분한 사람들을 다독이는 것이 습관이 되어 버렸다.

〈교수님, 그는 마치 제가 하고 싶은 말을 대변해주는 대변인 같습니다. 그의 연설을 듣고 있노라면 제 가슴이 다 후련해집니다. 요즘 우리 독일인들은 땅을 치고 통곡해 보아도 어디 하소연 할 때도 없고 가슴에 응어리가 전쟁이후 제대하고 내내 제 이 가슴 한가운데 꼭 박혀서 무엇을 해도 답답하기만 했습니다. 그런데 그의 연설을 들은 후로는 가슴이 설렙니다. 희망이 보입니다!〉

요즘의 독일인들의 정서를 후련하게 해줄 연설이라는 것이 과연 가능한 것인가?

또한 그냥 사기적 정치가의 입바른 소리에 이 마음약한 나의 제자가 넘어간 것인가?

나는 의아해졌다.

그리고 선뜻 오늘 저녁에 있다는 그의 연설에 참가하여 나 역시 그런 시원한 연설을 안 들을 이유는 없는 듯했다.

뮌헨 시내의 어느 지하 맥주집 입구에 다다랐을 때 빨간색 바탕의 벽보가 눈에 띄었다. 빨간색 벽보에 노란색으로 '국가사회주의 독일노동당'이라고 쓰여 있는 글씨가 보였다. 지하로 내려가는 계단으로 발길을 옮기자 연설이 이미 시작되었는지 사람들의 박수소리와 환호소리가 함께 들리어 왔다.

〈교수님, 시작했는가 봅니다!〉

앞장서서 계단을 내려가던 루돌프 헤스가 신이 난 듯이 걸음을 재촉하였다.

맥주집 안으로 들어서자 맥주냄새가 찌든 듯한 지하특유의 냄새와 뒤섞인 지독한 담배냄새가 났다. 탁자 몇 개에 여기저기 사람들이 의자에 걸터앉아있고 일부는 일어서서 그의 연설에 귀를 기울이고 있었다.

앞쪽에 나무로 짠 듯한 작은 상자를 엎어놓고 그 위에 선 그리 키가 크지 않은 검고 짧은 콧수염의 사내가 당차고 자신감 있는 태도로 대본도 없이 연설을 하고 있었다.

그는 군복을 입고 있었고 가슴에는 철십자 훈장을 자랑스러운 듯이 달고 있었으며 반대편 가슴에는 555라는 숫자를 종이에 써서 붙였다.

〈동지 여러분! 지난해 독일에서 굶주려 죽은 사람이 무려 50만 명입니다. 시장에서 감자하나를 사자면 감자보다 많은 지폐를 싸 짊어지고 가야합니다. 또한 저 위정자들은 패전으로 인한 어마어마한 배상액을 떠안고 와서 독일의 후손들을 대대로 승전국의 배를 채워줄 돈을 벌어 대주어야하는 노예국으로 전락시켰습니다. 이제 독일은 공군을 못 만듭니다. 그런데 승전국들은 버젓이 우리의 상공을 자신의 나라처럼 자유로이 비행기를 띄우고 언제든지 이착륙을 해대고 있습니다! 동지 여러분! 우리의 생존권은 이제 어디에 있습니까! 우리의 생존권은 무참히 짓밟히고 있으며 향후 100년 동안 우리 독일의 후손들은 그 빚으로 허덕이고 살 것입니다! 동지 여러분! 이제 국제 환경은 바뀌었고 우리 독일의 정치적 환경도 바뀌었습니다! 이런 어렵고 거친 환경에서 잘 적응하여 어떻게든 살아남는 자가 이기는 것입니다! 살아남기 위해서는! 강력해져야 합니다! 우리당은 이런 강력한 힘을 기르는 것이 우리 독일의 지금의 과제이며 이것으로 우리의 생존공간을 반드시 성취해낼 것입니다!〉

한마디로 그의 연설은 대단했다.

그의 연설을 듣는 내내 그의 현란한 제스처와 그의 오스트리아 사투리가 베어 나오는 정확한 어조와 좋은 목소리에 마음을 빼앗겼다. 무엇보다도 그의 적절한 높낮이의 논조들은 강한 믿음이 느껴졌으며 듣는 내내 강력한 신뢰감으로 지지해 마지않는 묘한 끌림에 어찌할 바를 몰랐다.

또한 그는 이슈로 떠올랐던 다윈의 진화론을 논조에 삽입해 적자생존의 생물학적 논리를 정치적으로 이용하는 똑똑한 자였다.

청중들의 반응은 가히 뜨거웠다. 501번으로 시작한 독일 내 수많은 작은 정당 중에 하나인 이 정당은 그가 가입할 당시 55번째인 가입인원수가 그의 연설이 있는 날이면 눈에 띄게 인원이 늘어서 가입명부의 인원은 2000번을 넘어가고 있었다.

연설이 끝나고 작은 단상에서 내려와 그는 이 사람과 저 사람과 어울려 이야기를 나누었고 이윽고 루돌프 헤스가 그를 불러 세워 나를 소개했다.

〈인상 깊은 연설이었네.〉

가까이에서 본 그는 왜소해 보였지만 그의 연설을 들은 한은 절대 그가 왜소해 보일 수가 없었다.

〈감사합니다.〉

〈실례가 안 된다면 자네의 '생존권확보정책'에 대해 좀 더 이야기를 나누고 싶은데.〉

나는 그와 더 깊고 심오한 대화를 나누고 싶었다. 그는 나의 이런 제의를 흔쾌히 받아들이고는 맥주집을 나와서 작은 카페로 향했다.

골목의 안쪽에 아주 작은 카페였는데 그 카페 안에서도 제일 뒤쪽 구석자리에 자리를 잡고 앉았다. 알고 봤더니 루돌프 헤스와 그는 가끔 이 카페에 온다고 했다. 루돌프는 이미 그 정당에 가입을 했고 그의 연설을 따라 다니면서 정당 내에서 이런저런 작은 일들을 처리하고 있다고 했다.

그러고 보니 두 사람은 매우 비슷한 구석이 있었다. 둘 다 술과 담배를 하지 않았다. 두 사람이 종종 연설이 끝나면 이 카페에 와서 이런 저런 정치이야기와 문학, 예술 등에 관해서 많은 이야기를 나눈다고 했다.

전쟁이 발발한 1914년 입대를 하여 7년간 군복무를 마치고 올해 3월에 제대한 이제 30살인 그는 대부분의 지금의 독일 청년들이 그렇듯이 그의 청춘을 전쟁터에서 보냈다. 전쟁 속에서 그는 외세와 맞선 그의 조국을 보았고 지극한 민족주의자가 되어 있었다.

전쟁터에서 우연히 군복무 중이던 소위 루돌프와 그는 한번 스쳐 지나간 적이 있었다는 에피소드를 이야기 하며 이렇게 만날 운명이었나 보다고 말하며 웃었다.

이런저런 이야기를 듣다보니 그와 루돌프는 잘 맞는 신발처럼 하나의 짝으로 맞아 떨어지는 파트너였다. 강한 성격의 그와 유하지만 성실한 내조자인 루돌프는 서로를 보완할 수 있는 어울리는 조합이었다.

〈공산주의에 관해서 어떻게 생각하나? 자네의 당은 물론 우파이긴 하지만 자네의 개인적인 의견을 듣고 싶네.〉

내가 그에게 슬쩍 정치적 의향을 물었다.

〈저는 그렇게 생각합니다. 아무리 왕정이 무너졌다 해도 인간의 삶의 구조는 그닥 바뀌지 않는다는 것입니다. 왜냐면 인간은 동물적인 존재들이기 때문입니다. 가만히 땅속에서 자라나서 공평하게 햇빛을 받아 광합성으로 먹고 사는 식물들과는 다른 존재라는 것입니다. 벌들이나 개미를 보세요. 1%의 여왕벌이나 개미를 위해서 99%의 일벌과 일개미들은 모든 것을 바치고 희생하고 일합니다. 동물의 삶의 구조란 많이 다르지 않습니다. 인간도 거기에서 예외일순 없겠지요. 아무리 인공적으로 평등한 분배를 하려하여도 그것은 곧 실패할 것입니다. 왜냐면 1%를 위해서 노동을 하는 삶은 본능적인 것이기 때문입니다. 제 생각엔 인간은 멸망하기 전까지 그 메커니즘을 바꾸어 놓지는 못할 것입니다.〉

그는 러시아에서 3년 전 일어난 공산혁명이 곧 실패하리라는 결론을 내어 놓고 있었다.

〈호퍼 박사님, 그 보다 저는 박사님의 그 지정학이란 것이 어떤 것인지 알고 싶습니다. 상당히 생소한 학문인 듯합니다만.〉

〈지정학은 시대적으로 반드시 요구되는 학문이 되고 있네. 그것은 알게 모르게 식민통치체제의 유럽에서는 필수 불가결한 요소가 되고 있지. 그 학문적인 정리가 필요한 것일 뿐 실제 필드에서는 이미 실행되는 것이라고 할 수 있지. 이를테면 태평양의 인접한 식민국들을 살펴본다면 먼저 중국이 있네. 이 나라는 지리적 요인으로 보면 아시아의 중앙적 위치이며 유럽과 아시아권의 중개적 위치이지만 워낙 방대한 지리적 위치로 인해서 식민지화하여 통치하기 그리 녹녹치 않다는 말일세. 이런 환경의 식민지는 마약으로 통치 노선을 가져간다네. 또 조선(현재; 한국)이라는 나라를 예로 들면 조선은 중국과 일본의 사이에 있는 나라로 일본으로 문화와 문명을 전달해주는 위치에 있으므로 문화의 흡수가 빨라서 동화가 잘 되는 위치에 놓여 있지. 이런 나라는 종교로 식민통치를 가져가는 것이 적절하다고 보며 일본은 섬나라고 문화를 받아들이기만 하는 위치에 놓여 있어 타문화 배척이 심하고 자신의 문화로 받아들이는데 시간이 오래 걸리네. 또한 섬나라 사람들의 특유의 까탈스러움으로 인해서 마약도 먹히지 않지. 이런 나라는 돈으로 식민통치를 쉽게 가져갈 수 있는 거란 말일세.〉

〈마약과 종교와 돈이라……〉

그는 의미심장하게 이 세 단어를 읊조렸다.

그가 바로 아돌프 히틀러였다.

히틀러를 만나고 일주일 뒤, 나와의 만남에서 그는 지정학에 지대한 관심을 보였다. 나는 거의 히틀러의 개인 비서마냥 일을 하고 있는 루돌프와 함께 둘을 집으로 초청하였다.

그 둘을 나의 집 지하에 마련된 비밀 서재로 안내했다. 그 비밀 서재에는 몇 년간 동양의 여러 나라를 여행하면서 얻은 자료들과 귀중한 골동품들이 장식되어 있었는데 히틀러는 이리저리 눈을 굴리며 신기한 듯이 이것저것을 물어 보았다.

이윽고 히틀러가 벽에 걸린 지도 하나를 유심히 들여다보았다.

〈이것은 무슨 지도인 듯도 하고 동물의 갈비뼈를 그려 놓은 듯해

보입니다.〉

〈아……, 그것은 조선에서 구한 지도인데 땅의 혈자리와 지맥들과 산의 줄기등을 그려 놓은 것이네. 지정학이라는 이론적 근거를 깨닫게 해준 중요한 지도일세. 이미 동양에서는 풍수라고 하여 땅과 강의 모양과 산의 줄기등, 지세에 따라 정치적, 개인적, 또는 종교적인 삶까지 영위하는 친자연적 이론을 가지고 있었네. 그것을 서양에 맞게 연구한 것이 지정학이라고 할 수 있지.〉

말없이 고개를 끄덕이며 듣고 있던 히틀러는 다른 한쪽의 청동상에 매혹되어 유심히 살펴보고 있었다. 머리에 화려한 관을 쓰고 요염하게 허리를 구부리고 다리한쪽을 세우고 한쪽은 접어 앉은 청동상이었다. 가만히 그 상을 들여 다 보면 이마에 눈이 하나 더 있었고 손에는 이상한 창모양의 물건을 들고 있었다.

그 청동상 옆에는 유사한 듯한 청동상이 하나 더 있었는데 역시 정교하고 아름다운 상으로 허리를 미묘하게 구부리고 팔을 네 개를 드리운 상이었다.

〈이 청동상은 무엇입니까?〉

그의 질문에 나는 잠시 긴장했다.

내가 의도하지 않아도 그는 마치 강한 중력의 작용을 받은 듯 끌리어 오고 있었다.

〈이것은 인도 북부에서 가지고 온 것이네. 이 청동상은 인드라라는 인도의 힌두교신이네. 인드라신은 비의 신이기도 하고 벼락의 신을 거느리고 있어 농경생활을 하는 고대왕국들에게는 필수적인 신이라고 할 수 있지.〉

이쯤에서 나는 상을 보고 있는 눈을 히틀러에게 돌리며 그의 눈을 응시하며 물었다.

〈자네, 인도의 4계급 중에 브라만이 어떤 종족인 줄 알고 있는

가?〉

〈글쎄요……, 수많은 종족들이 있었을 텐데……. 들은 바가 없습니다.〉

〈아리안족이네. 아리안족은 푸른 눈과 금발의 머리와 흰색피부를 가지고 앞선 문물을 보유하고 있었네. 그리고 인도북부로 진출을 시작하여 고대 인도를 식민지로 만들고 최상위 지배계급으로 군림하게 되네. 갈색 눈과 갈색 피부, 갈색 머리색깔이 우성이므로 이 아리안족의 유전자는 눈에 뜨이지 않게 숨어 있게 되었지만 이미 오래전 아리안족은 동쪽으로 진출한 것이지.〉

〈헌데, 그것과 이 청동상과 관련이 있습니까?〉

〈그렇다네, 이 인드라상은 고대 브라만 계층 즉 고대 아리안족의 신이었단 말이지. 그리고 불교나 밀교에서도 이 신을 섬길 만큼 강력한 힘을 가지고 있으며 영웅신이라고 할 수 있는 이 신은 바로 영원한 아리안족의 용맹스러운 전사의 모습이기도 하다네.〉

〈오오, 정말 흥미로운 역사이야기입니다.〉

패배의식이 지배적인 근래에 가장 자존감을 주는 이야기가 아니던가?

그의 눈은 만족스러움에 반짝이고 있었다.

히틀러는 흥미로운 듯이 이것저것을 만져 보기도 하면서 그의 지적 호기심을 채우고 있었다.

그리고 이번에는 내가 그를 불렀다.

〈이리로 와보게나 보여 줄게 있네.〉

나는 탁자위에 받침대에 놓여 있는 목판을 들어 올렸다. 그 목판에는 기하학적인 문양이 흰색으로 그려져 있었다. 히틀러는 궁금증이 가득한 눈을 하고는 어느새 나의 옆에 와 있었다. 그의 그림자마냥 루돌프 헤스도 쫓아와 있었다.

〈이 그림을 보게나.〉

그 문양은 마치 십자가 모양에서 끝선을 모두 구부려 놓은 듯한 모습이었다.

〈이것은 아주 오래된 고대의 문양이네. 3000년 전부터 나타나는 이 고대의 문양은 서양에서는 기독교가 전파된 이후에는 사라져서 쓰이지 않고 있네. 그런데 이 문양을 나는 동양과 힌두교의 상징들에서 찾았네. 이 문양은 사원이나 샤먼의 집 등에서는 흔히 볼 수 있는 널리 쓰이는 문양이었지. 티벳에서 내가 머무를 때, 나의 스승님께서 이 문양에 대한 이야기를 하여 주셨네. 처음에 생겨난 것은 태양신을 섬기는 아주 오래된 고대 왕국들에서 시작되었다고 하네. 하지만 나의 스승님께서는 이 문양에는 모든 우주의 비밀이 숨겨져 있다고 하셨네.〉

〈우주의 비밀?〉

나는 그의 얼굴을 유심히 살피며 이야기를 계속해 나갔다.

〈이 문양과 같은 모양의 물건이 세상에 존재한다고 하네. 그 물건을 찾는 자가 세상의 주인이 된다는 것일세. 오래전 고대의 훈족의 왕과 몽골의 징기스칸이 바로 이 물건을 소유하고 있었다고 하네.〉

〈…….〉

그는 아직 그의 운명을 민족주의자적 삶에서 그리 멀리 가고 있지 않은 눈치였다. 그의 이런 상태를 안 이상 나는 가만히 있을 수 없었다.

〈티벳에서 한 절에 머물면서 내 나이 50세가 가까워서야 새로운 종교에 눈을 뜨게 되었네. 로마시대의 테오도시우스 황제가 기독교를 받아들인 후 멈춰 서 있던 우리 서양인의 종교는 단지 물질적인 종교차원에 머물러 있었는지도 모른다네. 나는 동아시아와 인도, 티벳을 돌면서 아시아인들의 종교를 접하게 되었네. 그들은 물질적인 종교가 아니라 지극히 정신적인 종교를 가지고 있었네. 그들은 명상이라는 특이한 방법으로 자신 내부의 신을 찾고 있었으며 깨달음에 도달하고 있었네. 티벳에서 스승님으로부터 자신을 버리는 길에 대해 배워가며 영적으로 이해할 수 없었던 기독교 교리마저 이제야 어떤 것인지를 깨닫게 되는 신비스러운 경험을 하게 되었네.〉

〈저는 세례까지 받은 기독교도입니다. 그런 경험을 했다니 참으로 흥미롭군요.〉

그는 별 감흥 없이 말했다.

〈티벳의 나의 스승님께서는 이런 말씀을 하셨네. 이제 곧 새로운 시대가 도래할 것이라고 말이네. 그리고 그 시대를 열고 이끌어갈 인물이 곧 나타나리라고 하셨네. 그 인물은 전 세계를 아우르는 군주가 되며 또한 영적인 스승이 되리란 말씀을 하셨네. 그 신시대는 필연적으로 오게 되어 있고 궁극적으로 그것은 모든 인류에게 깨달음을 가져다 줄 것이라고 하셨네. 그리고 그 일은 동방의 나라로부터 시작될 것이라고 하셨네.〉

〈동방의 나라라면?〉

〈동방의 나라는 어떤 나라인지 알 수가 없네. 하지만 아주 오래전 우리 아리안족들은 이미 동방의 지배계급이었네. 그리고 우리 독일은 폴란드를 위시한 동방의 나라들을 예전의 로마시대와 마찬가지로 한 나라로 통합할 수 있을 것이네. 우리 독일은 지정학적으로 유럽의 정중앙에 위치해 있네. 그리하여 많은 문물과 문화의 교류지이기도 했지만 비극적 전쟁의 전쟁터이기 십상이었지. 우리 독일은 여기 유럽에 머물러 있으면 작은 중간국에서 크게 벗어나지 못하네. 옛 땅인 오스트리아와 그 일대와 동쪽의 폴란드부터 우리의 옛 영토들을 되찾아야지만 독일은 로마제국시대와 같은 대국이 될

것일세. 그리하여 바로 그 동방의 나라가 될 수 있는 것이네.〉

〈그것은 지정학자로서의 견해이십니까?〉

〈아닐세. 이것은 운명론자로서의 견해 일세. 그리고 나는 이 일을 해낼 강력한 제왕의 상을 가진 자를 이미 만났네.〉

침묵이 흘렀다.

히틀러는 무슨 생각을 하는지 뚫어지게 목판의 문양을 바라보고 있었다. 그리고 왼손으로 문양에 대고는 네덜란드의 풍차를 돌리듯 왼쪽으로 돌리는 동작을 하였다.

〈무언가……, 상당히 끌어당기는 듯한 상징이네요. 제 전직인 화가로서의 견해로 본다면 강력한 중력을 가진 문양 같습니다. 세계제왕의 상징이 될 만큼 강력한……〉

그 다음날 나는 역시 히틀러와 히틀러의 비서를 자처하고 있는 헤스를 불렀다. 일주일에 한번 모이는 신세계클럽에 그들을 초대하기 위해서였다.

내가 히틀러와 헤스와 함께 클럽에 도착했을 때는 이미 세미나 및 시연이 시작되고 있었다.

작은 강당식의 클럽에는 의자가 잔뜩 놓여 있었고 이미 참석해 있던 회원들이 숨죽이고 무대를 주시하고 있었다.

이윽고 나는 무대 앞쪽에서 서 있는 구르지예프를 발견했다. 그러나 이번 무대는 그의 발표무대인 듯하여 인사는 잠시 미루고 가만히 일행과 앉아 구경을 하기로 하였다.

오랜만에 보는 구르지예프는 조금 얼굴이 그을리고 살이 빠져 보였다. 벌써 그와 헤어진 지 5년이 지났다. 그는 가끔 나에게 편지로 자신의 안부와 소식을 전하곤 했었다.

헤어진 이후 서둘러 그는 자신의 나라인 러시아로 돌아갈 수밖에 없었다. 그의 나라의 상황이 급박하게 돌아가 볼세비키당의 혁명이 성공을 거두고 공산국가임을 천명한 이래 그는 자신의 길을 가고자 구도의 길을 택하였다. 얼마 전까지 그는 이스탄불에 머무르면서 새롭고 놀라운 사실을 알았다면서 기뻐했었다.

잠시 후 무대에는 손에 피리와 현악기를 든 이들이 세 명 들어오고 한쪽에서는 원통형의 모자를 쓰고 검은 망토를 두른 남자가 3명이 나타났다. 그들은 천천히 검은색망토를 벗었다. 검은색 망토 속에는 길고 아래쪽이 퍼지는 넓은 통의 흰색 치마를 입고 있었다. 무대의 세 남자들이 준비되자 악기 연주자들이 연주를 시작하였다. 피리와 현악기의 아름답고 조화로우며 이국적인 소리를 내며 흘러나왔고 무대의 세 남자들은 팔을 위로 벌리며 빙빙 돌기 시작했다. 그러면서 무희들은 상당히 구성진 단순한 가락으로 소리를 내었는데 '에~' 또는 '어~' 이런 소리를 내면서 계속하여 돌았다.

히틀러와 헤스는 신기한 듯이 무희들의 '뺑뺑이춤'을 구경하고 있었다.

춤과 음악은 거의 한 시간 이상이 지나서야 끝이 났다.

곧 이어서 구르지에프가 무대에 등장하였다. 그는 이것이 터키의 수피족들의 세마의식이라고 설명을 하였고 이 춤을 통하여 무아지경에 도달할 수 있다는 것이었다.

이런 말들이 의아한지 히틀러가 나에게 물어왔다.

〈무아지경에 도달하는 이유가 무엇입니까?〉

〈동양의 깨달음은 명상을 통하여 깨달음을 찾는 것인데, 그 명상이라는 것이 단지 가만히 앉아서 아무생각을 하지 않고 내가 없어지는 상태란 것이네. 그것이 동양인들은 쉬운지 모르겠는데 우리 서양인들은 도무지 이해가 되지 않는다네. 그런 방법 자체가 너무나 생소한 것이지. 그리하여 저 구르지에프라는 친구는 내가 없어지는 무아지경의 상태를 만들기 위하여 여러 가지 방법을 연구하고 또 여러 종교에서 그런 상태에 이르는 쉬운 길을 연구 중이라네. 그는 깨달음을 얻는 이 새시대종교의 대중화를 위해 그리고 도래할 그 세상에 모든 이들의 깨달음을 위해 평생을 바칠 거라고 하네.〉

무대에서 발표를 마친 구르지예프가 나를 발견하고 이쪽으로 달려 왔다.

〈하우스 호퍼박사! 이게 얼마만이지?〉

우리는 서로 포옹하고 서로의 얼굴을 보았다. 그도 나도 세상의 흐름과 거친 국가적, 정치적 상황 속에서 늙어가고 있었다.

〈이번 발표가 어떠한가? 내가 말한 대로 획기적이지 않은가? 자네도 이 방법을 써 보게. 이 방법은 누구나 무아지경의 상태에 이를 수 있다고 호언장담하지.〉

〈자네도 알다시피 나는 명상의 방법을 스승님으로부터 전수받아 그 방법을 알고 있네. 아, 자네에게 소개하고 싶은 사람이 있네. 아돌프 히틀러와 루돌프 헤스네.〉

히틀러가 먼저 선뜻 악수를 청하였다.

〈아, 처음 뵙겠습니다.〉

〈오호 독수리의 눈을 가졌군! 그 눈의 주인은 날카로운 발톱을 가진 강력한 기를 가진 대단히 강한 인상의 사람이군!〉

구르지예프는 나와 히틀러를 번갈아 보며 놀라운 듯 말했다.

〈매우 인상 깊은 시연이었습니다. 세마라는 춤 의식 말입니다.〉

히틀러는 정색하며 말했다.

〈아, 나는 무아지경의 상태로 들어가기 위해 많은 방법을 연구하고 있네. 마약을 사용하면 경미한 무아지경의 상태에 도달할 수 있네. 또한 동남아 원주민들이 사용하는 최음제역할을 하는 약초를

말려 태워 그 연기를 마시면 또 가능하기도 하지. 여하튼 난 언제 어디서든 신과 연결될 수 있는 상태에 이를 방법을 찾고 있네.〉

〈저는 예전에 그림을 그릴 때 무아지경이 되곤 했습니다.〉

〈오오오, 자세히 말해 보게. 예술적 행위가 무아지경으로 이끌 수 있는 단초가 될 수 있네.〉

구르지예프는 정말 연구에 심취해 있었다.

히틀러를 데리고 자리에 앉히더니 그림을 그릴 때 무아지경의 상태에 도달하는 정도가 어떤지, 그리고 어떻게 인식되는지 등등을 질문하며 노트에 정리하고 있었다.

그날 이후로 히틀러는 신세계클럽의 회원이 되었고 정기적인 모임에 참석하게 되었다.

행사가 끝난 후 돌아갈 쯤에 히틀러가 클럽 여기저기에 걸어 놓은 갈고리 십자가모양의 그 휘장을 보며 말했다.

〈저 문양은 어제 박사님의 지하실에서 본 문양 아닙니까?〉

〈그렇다네. 우주의 시작과 끝. 생명탄생의 수레바퀴라고 표현되기도 하지. 그런데 왜 뭐가 잘못된 것인가?〉

이제 나의 계획이 결실을 거두는 것일까?

아니 나의 계획의 시작인가?

히틀러는 내게 말했다.

〈저것을 무엇이라 부릅니까? 그리고 저것을 얻으려면 어찌해야 합니까?〉

〈저것은 산스크리스트어로는 스와스티카라고 하고 동양에서는 만이라고 부른다네. 저것은 티벳의 샴발라에 있다고 전해지네만 확실히 어디에 있는지는 알 수 없다네. 그리고 그것이 있는 곳을 알더라도 인간의 힘으로는 얻을 수 없다고 전해지네.〉

〈세계제왕들은 얻지 않았던가요?〉

〈그렇지……!〉

〈…….〉

〈그리고 나의 스승님은 그것을 '사자(死者)의 서'라고 불렀다네.〉

〈'사자의 서!'〉

제2장. 제왕을 꿈꾸는 자 2

2. 생명의 서

1924년 12월 20일

하늘에 잔뜩 짙은 회색빛 구름이 내리 깔려 금방이라도 눈을 퍼부어댈 것처럼 그 무게감을 이기지 못하고 있었다. 아직 시각은 대낮인데도 불구하고 저녁 무렵 마냥 어두웠다.

가스등을 돌려 켜들고는 2층의 서재 창가에서 아침나절에 받은 조간을 들고 있었지만 나는 그 내용이 눈에 들어오지 않았다. 거의 오후 내내 이런 상태로 멍하니 서재 책상머리에 앉아서 창밖을 응시하고만 있었다.

그러다가 서재 한쪽 벽에 걸린 휘장에 시선이 고정되었다. 강렬하게 마음을 잡아끌어 그 소용돌이 속으로 빨려 들게 만들 것만 같은 휘장 속 상징은 붉은색바탕에다가 그 중심부에 커다란 풍차마냥 네 개의 검은색 날개가 달려있었다.

'사자의 서!'

세상의 모든 처음과 끝!

생과 사의 수레바퀴의 실체!

제왕의 상징!

저 깃발아래 새로운 세상을 열 위대한 아리안족!

나는 잠시 마음의 동요가 파도처럼 솟구쳐 극도의 흥분된 상태로 자리에서 벌떡 일어서서 아무 의미 없이 창가주변을 서성대었다.

그러다가 시선이 다시 책상위의 신문에 고정되었다. 마음을 다잡지 못한 탓에 손이 바르르 떨려 왔다. 겨우 움켜잡은 신문을 들어 올려 다시 한 번 기사내용을 읽어 내려갔다.

'나치당 당수 아돌프 히틀러 특별 사면되다.'

내가 기사내용을 선체로 거의 다 읽어 내려 갈 때 쯤 서재의 방문 노크소리가 눅눅한 정적을 깨었다.

〈들어와!〉

나의 아내였다.

〈여보, 그가 도착했어요.〉

나는 신문을 책상위에 내동댕이치듯이 던지고는 아래층 출입구 쪽으로 서둘러 내려갔다.

문이 열린 입구너머로 검은색 차 한 대가 서 있었고 차에서는 히틀러와 헤스가 내리고 있었다. 그 사이 눈이 내리기 시작했다.

히틀러는 문 앞에 서 있는 나를 발견하고는 조금은 퀭해진 눈을 반짝이며 다가 왔다.

〈호퍼 박사님!〉

〈수고들 했네!〉

나는 악수를 하는 대신 그의 어깨를 감싸 안았다. 내 마음은 그랬다. 정치적 동지애라기보다는 아들을 맞이하는 아버지의 심정이랄까?

큰 가방을 두 개 들고 있는 헤스도 눈물을 그렁거렸다.

우리들은 2층 서재로 자리를 옮겼다. 아내가 준비한 따뜻한 홍차 향이 서재의 책 냄새와 어우러져 기분 좋은 향기를 만들어 내고 있었다.

차를 몇 모금 마신 히틀러는 표정 없는 얼굴로 찻잔을 응시하고 있었다.
〈당이…… 와해되었습니다. 그리고 나의 군대도 뿔뿔이 흩어져 버렸습니다.〉
그의 말은 희망을 잃어버린 듯 낮고 건조한 톤이었다.
〈당원들은 다시 모으면 되네! 그리고 군대는 다시 만들면 돼! 불과 3년 전만해도 우리에겐 아무것도 없었네. 이 정도의 시련에 자네, 꺾이면 안 되지 않겠는가!〉
〈무솔리니는 운이 좋은 놈이었나 봅니다. 저에겐 그 운이 안 따라주는 군요.〉
나는 심장에 찬바람이 부는 듯 써늘함을 느꼈다. 무솔리니의 급진적 정치행보를 찬양했던 것은 바로 내가 아니던가?
〈아직 때가 아닌 것뿐이야. 공산주의 타도의 노선을 걷는 주류들은 이미 자네의 편에 섰고 자네가 연행될 당시 자네가 주장한 3원칙은 신문에 대서특필 되었네. 세계의 기류가 공산주의 노선과 쌍벽을 이루는 구도로 가고 있네. 우리에게 이것은 충분히 이용가치가 있는 것일세. 두고 보게나 앞으로 세계구도에서 자네가 이용해야할 이데올로기가 될 걸세.〉
이 말에 루돌프 헤스도 말을 거들고 나섰다.
〈맞습니다. 5년의 형기도 1년으로 감형되지 않았습니까?〉
히틀러는 긴 한숨을 뿜어내며 찻잔의 손잡이를 어루만졌다.
〈몇몇 왕당파와 우파당에서 나오던 보조금이 끊기고 당 활동 정지 명령이 내려 졌습니다. 저는 지금 당을 이끌 내적, 외적 힘을 모두 잃은 상태입니다.〉
그는 절망감에서 벗어나지 못하고 있었다.
나는 언젠가는 이용해야할 비밀정보를 공개할 때가 지금이라는 것을 직감했다. 그것은 나의 군주 되는 이를 위해서 반드시 유용하게 쓰일 게 분명했다.

나는 잠시 생각을 가다듬고 말을 이었다.

〈전쟁이전에 나는 동양의 여러 국가에 파견된 군인이었네. 겉으로는 평범한 독일제국의 군인이었지만, 나의 임무는 다른 것이었네. 그것은 국제정보수집의 임무를 띤 첩보활동이었네.〉

나는 이제껏 누구에게도 말하지 않았던 나의 비밀 활동에 대해 발설하기 시작했다. 나의 이런 기밀 누출에 저의 두 사람은 놀라는 눈치였다.

〈내가 수집한 첩보 중에서 놀랄만한 사실이 있다네. 지금 현재 스위스은행의 금고에는 독일황제의 비밀금고가 있네. 이 돈은 우리가 감히 상상 못할 정도며 아마 제국을 몇 개는 건설할 수 있는 막대한 자금인걸로 알고 있네.〉

이 말에 히틀러는 떨구고 있던 고개를 들고 의심과 호기심에 찬 눈빛으로 나를 응시하며 물었다.

〈그것이 황실의 돈이라면 지금 네덜란드에 망명한 카이저 빌헬름 2세 폐하의 돈이라는 것인데, 황제께서 그 사실을 알고 계십니까?〉

〈황실의 돈에 관해 세부사항을 다 알진 않지만 돈이 그 정도로 어마어마하다는 것을 빌헬름2세 폐하가 모를 리 없네. 그리고 그 돈은 현재 유대계 제력가인 로스차일드(Rothschild)가에서 관리하고 있다네.〉

〈아니, 어찌하여 다 망한 독일제국의 황제가 그런 막대한 자금을 가지고 있는 것입니까!?〉

히틀러의 반응은 다소 공격적이었다.

나는 서랍에서 작은 문장하나를 꺼내 그에게 내밀었다. 그것은 붉은 색 방패 모양 안에 '로만 이글' 즉 로마의 상징인 독수리가 그려진 문장이었다.

〈이것은 로스차일드가의 문장일세. '붉은 방패(Rothschild)'란 뜻을 가진 로스차일드란 이름은 옛 그들의 조상 중에 독일에서 골동품상을 하던 사람이 독일의 골동품에서 영감을 얻어 만들었다고 하네. 그들의 선대 할아버지가 독일의 황제 빌헬름9세와의 친분으로 황실의 자금을 돌보는 일을 하였는데 황실의 이 비밀자금이 그들만의 금융제국을 만들어 주는 자양분이 되었지. 실제로 이 자금은 독일 황실의 이름으로 사용이 가능한데 현재는 어마어마한 양으로 불어 있다는 군. 이것은 극비에 해당되는 첩보이네.〉

〈…….〉

히틀러는 말없이 붉은 방패의 문장을 집어 들었다.

창밖은 세찬 눈보라가 불어와 창문을 거세게 두드리고 있었다.

특별사면으로 풀려난 후 1925년 1월 몇 명의 측근을 거느리고 히틀러는 비밀리에 네덜란드행을 감행했다.

네덜란드의 도른성에 도착했을 때 그는 성안으로 안내되어 카이저 빌헬름 2세를 접견할 수 있었다. 빌헬름2세는 그의 트레이드마크인 귀족적인 팔자 콧수염을 여전히 간직하고 있었다. 한때 이 콧수염은 독일 전역으로 유행이 퍼져 나갔고 히틀러 자신도 20대에는 무언가 위엄이 느껴지는 카이저수염을 길러 남성다움과 카리스마를 위해서 따라했었던 당대의 스타일 중에 스타일이었다.

전쟁에서의 폐함과 왕권철폐의 굴욕 속에 망명생활을 하고 있는 폐위황제의 얼굴은 조금 야위어 있었다.

히틀러는 폐하에 대한 경의의 표시로 일어서서 모자를 벗고 고개를 숙여 그를 맞이했다.

이윽고 소파에 깊이 엉덩이를 파묻고 다리를 꼬고 앉은 채 고개를 살짝 젖혀 곁눈질을 하며 황제는 떨떠름한 표정으로 이야기를 시작했다.

〈독일에서 정치가들이 방문하는 것은 나에게는 그리 달갑지 않은 일이 되었네. 그들은 교묘히 나의 이름을 사용하지만 이미 시대의 퇴물취급을 하고 있다구!〉

〈폐하, 저는 한때 폐하의 군인으로 전장 터에서 목숨을 걸고 싸운 사람입니다. 또한 독일인으로 태어난 이상 그리고 폐하의 백성으로 살아온 삶이 있는 이상, 영원히 폐하의 사람입니다.〉

황제는 날려 올라갈듯 세련된 콧수염을 어루만지며 흘깃 히틀러의 가슴에 달린 전쟁훈장을 보았다.

〈자네의 정치 활동에 대해서는 익히 보고를 받았네. 매우 인상 깊었네. 특히 공산당과 타협하지 않는 자라는 것과 대단한 연설가라고 들었네. 그리고 석방된 지 얼마 되지 않았다는 것도…….〉

이 말에 화색을 머금은 히틀러는 본격적인 목적을 드러내기 시작하였다.

〈아, 그렇다면 제가 무엇 때문에 여기에 온 줄 알고 계십니까?〉

〈글쎄, 자네의 당이 해체되었다고 들었는데……, 혹시 새로운 왕당파라도 결성할 생각인가?〉

〈제가 일부 왕당파로부터 정치자금을 받아 당을 운영해 온 것은 사실이지만 저와 나치당은 그들과는 전혀 다른 포부를 가지고 있습니다.〉

은근한 기대를 가졌던 황제는 급 흥미를 잃는 듯하였다. 그는 언젠가 다시 독일의 황제가 되어 돌아가야만 한다는 생각을 가지고 있었다. 그가 비록 전쟁의 전범으로 네덜란드에서 출국하는 즉시 잡혀 전범재판에 넘겨질 테지만 자신의 뼈는 독일에 반드시 묻혀야 한다고 생각하고 있었다. 그리고 그의 아들 중 한명이 그 뒤를 이어 독일의 새로운 황제가 되어야만 한다는 게 그의 생각이었다.

〈왕정의 몰락은 이미 시대적 흐름으로 어느 누구도 막을 수 없습니다. 그것이 신이라 할 지라도 말입니다!〉

히틀러는 단호히 말하였다.

〈영국을 보게나! 여전히 여왕폐하께서 건재하시지 않은가!〉

황제는 그의 말에 깊이 소파에 앉아 있던 그의 허리를 꼿꼿이 세우고는 그답지 않게 언성을 높이었다.

〈영국황실도 실권을 잃은 지 오래입니다. 한낱 꼭두각시처럼 전시된 유물마냥 살고 싶으십니까!?〉

〈이보게 히틀러! 무슨 말이 하고 싶은 겐가? 감히!〉

황제는 이제 얼굴까지 붉히고 있었다.

〈황제 폐하께서 그 이름을 후대에 높이 휘날리며 독일제국의 황제답게 살 수 있는 방법이 있습니다. 그것이 꼭 다시 허울뿐인 황제자리로 돌아가는 것이 아니라 실질적인 커다란 도움을 줄 수 있는 일입니다.〉

그는 마치 이브를 꼬드겨 내는 뱀의 혀처럼 낮고 침착하게 속삭이듯 말하였다. 이런 그의 발언은 퇴위황제의 자존심의 상처를 건드린듯했다. 황제는 쉽게 그의 분을 가라앉히지 않았다.

〈그런 일이 어디 있어! 어디에!〉

황제는 팔을 커다랗게 벌리고 휘두르듯이 거칠게 손을 가로 저었다.

〈……황실의 스위스비밀 금고를 열어 주십시오!〉

히틀러는 정확하게 하지만 위협적이지 않게 마치 의사가 환자에게 처방을 내리듯이 말하였다.
순간 황제는 귀를 의심하였다.
얼굴한번 보지 못했던 정치꾼 녀석이 어느 날 갑자기 찾아와서 비밀금고 운운하고 있는 이 상황이 믿어지지 않았다.
〈뭐라고?!〉
〈독일이 군사제국으로 거듭날 수 있는 자금을 내어 주십시오!〉
그리고 그는 주머니에서 호퍼박사로부터 받은 로스차일가의 붉은 방패 문장을 꺼내어 탁자위에 내려놓았다.
〈이 문장을 기억하십니까? 아니 로스차일드가를 알고 계십니까?〉
황제는 왜소한 그를 우습게 여겼었다.
그런데 아돌프 히틀러, 도대체 이 자의 정체가 무엇인가?
그는 철저히 비밀리에 조성된 황실자금에 대한 첩보를 가지고 있단 말인가?
〈아……, 가끔 로스차일드가가 만든 최고급 와인을 즐겨 드십니까? 폐하께서 집 한 채 값의 와인을 즐기고 있는 동안 독일의 국민들은 굶주려 죽어가고 있습니다! 아니, 폐하가 패한 전쟁으로 인해 이제 독일민족은 주변국의 노예가 되었습니다! 폐하께서 조국의 백성들의 비참한 생활을 아십니까?! 만약 그렇다고 하신다면, 이제…… 그 책임을 지셔야지요.〉
그가 연설가라고 했던가?
그는 말에 높낮이를 자유자재로 휘두르며 황제의 깊숙한 영혼의 귓가에 다가가 심장을 도려내는 칼날 같은 언변의 마술사였다.
황제는 이 자의 당차고 격한 말에 그동안 마음 한켠에 자물쇠로 잠가놨던 울분의 주머니가 '퍽!'하고 터지는 것을 느꼈다. 그리고 자신도 모르게 눈언저리가 뜨끈해져 왔다.
황제에게 많은 이들이 찾아 왔었지만 그에게 이토록 책임을 추궁

하는 불손한 자는 없었다. 하지만 그가 그토록 사랑하던 자신의 나라 독일이 아니던가?

매일 밤 잠 못 이루던 불면의 밤의 정체가 발가벗겨진 이 상황에 그는 자신의 감정을 억누를 길이 없었다.

〈자네 말이 옳네! 모든 것이…… 나의 책임일세. 매일 밤 나를 그렇게 괴롭히던 것은…… 황제로서의 자존심 실추도 아니고……, 다시 돌아가 황제의 자리에 오를 궁리도 아니고……, 그것은 오로지 독일에 대한 연민과 측은함과 사랑 때문이었네. 으허헉!〉

퇴위황제는 고통으로 몸서리치듯 두 손으로 머리를 감싸 안으며 울부짖었다.

히틀러는 네덜란드 한 가운데 한 성에서 한때는 독일제국의 황제였던 사람의 눈물을 보고 있었다.

〈저에게 힘을 실어 주십시오. 오스트리아와 폴란드를 병합하고 러시아를 칠 것입니다. 전 국민을 무장화 시켜 철저한 군사국가로 만들 것입니다. 패전의 고통은 더 이상 존재치 않을 것입니다. 독일제국은 앞으로 10년 안에 최고의 국가로 부상할 것입니다. 어떤 그 누구도 강력한 군사국가인 독일에게 이래라 저래라 하지 못하게 만들 것입니다.〉

히틀러는 깊은 신뢰와 진심을 담아 황제를 설득했다.

그리고 이것은 황제 자신이 복위하면 이루고자 매일 밤 반복적으로 꿈꾸며 되뇌고 되뇌여 왔던 일이 아니던가?

격정적인 감정을 어느 정도 추스른 카이저 빌헬름2세는 잠시 동안 생각에 잠긴 듯했다. 그리고는 의자 옆 협탁 위에 놓인 시가를 꺼내 피우기 시작했다. 그리고 실내를 천천히 왔다 갔다 하다가는 정원이 내다보이는 창문 앞에 서서 한참을 무언가 응시를 했다.

이런 황제를 히틀러는 인내심을 가지고 아무 말 없이 기다려 주었다.

이윽고 황제는 결심이 선 듯 탁자 위에 펜과 종이를 꺼내 들어 무언가 쓰기 시작했다.

〈자네가 독일의 재건과 군사 국가를 건립하는데 드는 전체비용의 10분의 1을 우선 내어 주겠네. 그리고 자네가 당을 다시 세우면 또한 10분의 1이 송금 될 걸세. 자네가 의회에 진출하면 또한 10분1이, 자네가 대통령이 되면 나머지의 전액을 지급하겠네. 그리고 자네가 만약 전쟁을 시작할 시에는 자네에게 주었던 재건 비용만큼 더 내어놓겠네.〉

이 날의 두 사람의 계약 사실은 히틀러의 측근들을 비롯하여 관계된 자들 모두가 그들의 무덤까지 들고 갔다.

또한 이 두 남자의 계약은 지극히 한 국가에 대한 일치된 사랑으로 체결된 것이라는 것임을 황제도 히틀러도 기억할 것이다.

막대한 자금 원조를 받게 된 히틀러는 이제 두려울 것이 없었다.

그는 당의 재건에 힘썼고 그에게 다가오는 시련 어떤 것도 걸림돌로 생각하지 않았다. 그는 어떤 것이든 헤쳐 나가는 무쇠 같은 사람이 되었다.

그는 당의 군사를 '돌격대(SA)'와 '친위대(SS)' 두 가지로 구분하였고 10년 후쯤의 전쟁을 위하여 청소년들의 군사단체인 '히틀러 유겐트'를 만드는 등 치밀한 계획으로 다가올 큰 전쟁을 준비했다.

그는 나의 바람대로 당대의 어느 당보다도 군사력을 키워나갔다.

1930년 나치당은 드디어 제국의회에서 18%에 해당하는 107석을 차지하였고 이러한 약속이 이행 될 때마다 황제는 그에게 약속했던 막대한 자금을 비밀리에 송금했다.

그리고 독일에 머물던 황제의 아들 중 한명으로 하여금 나치당에 가입하도록 시켰다. 그것은 황제로서 못 다한 독일사랑에 대한 최소한의 제스처였으며 히틀러에 대한 지지였으리라.

훗날 1940년, 히틀러의 파리 함락소식에 황제는 히틀러에게 축전을 보냈다. 그것 역시 자신이 못 이룬 업적에 대한 자신만의 해소법이었을 것이다.

또한 네덜란드가 함락 당했을 때도 처칠의 영국망명 요청을 받아들이지 않고 떳떳이 독일군의 옛 황제로서 호위를 받는 기분을 만끽했다. 어떻게 보면 그는 여한이 없는 황제로 일생을 마쳤다.

그 다음해인 1941년 6월 폐색전증으로 그는 사망했다.

히틀러는 그의 시신을 그가 사랑한 독일 땅에서 성대히 국장을 치르려 했으나 네덜란드 당국이 시신을 내어 놓지 않아 이는 무산되었다.

거리의 실직자들과 건달들 전역군인들 모두 히틀러의 나치당에 입당하고 군인이 되어 '사자의 서'의 깃발아래 모이었다. 그리고 빌헬름2세의 자금은 그들에게는 생활비가 되었다. 그는 독일내의 실직률 0%라는 역사적 신화를 가져오는 인물이 되었다. 그것은 독일인들의 내재된 염원이었는지도 몰랐다.

1931년 5월 1일

오후 내내 나치당의 외국부서 창설 기념행사로 당사건물은 사람들로 북적였다. 그렇지 않더라도 나치당의 거대한 당기가 드리워진 이 건물은 매일매일 전쟁을 치루는 막사마냥 사람들로 북적였다. 그도 그럴 것이 건물을 오가는 대부분의 사람들이 갈색의 군복과 모자를 착용하고 있어 마치 전쟁 시의 군 수뇌부를 방불케 하였다.

군복차림의 사내들은 긴 막대기를 허리에 차고 있었고 몇몇의 사내는 긴 칼을 허리에 드리우고 있었다.

행사를 치르고 난후 히틀러는 직무실에서 몇몇의 당 간부들과 낮은 목소리로 이야기를 나누다가 내가 들어서자 그들을 밖으로 내보내었다. 간부들 중 군복을 입고 칼을 찬 한 사내가 나갈 때 팔을 들어 올려 “하일 히틀러!”를 외치며 로마군대식 인사법으로 거수경례를 올렸다.

〈아, 어서 앉으시지요, 박사님. 이제야 좀 시간이 나는군요.〉

그는 예의 바르게 오른쪽 팔로 의자 쪽을 가리키면서 안도하듯이 자신도 의자에 털썩 눌러앉았다.

〈이제 외국부서까지 생겼으니 작은 정부의 대강의 구색은 갖추어진 듯하군.〉

나는 비서가 막 날라다 준 따뜻한 차 한 잔을 들이 키며 경쾌히 말했다.

〈모두가 박사님 덕분입니다. 외교부 고문을 맡아 주셔서 저는 정말 든든합니다.〉

이 말에 나는 잠시 생각에 잠겼다. 정치적으로 존재를 드러내고 싶지 않았던 나는 외교부의 필요성을 히틀러에게 강조했던 인물이지만 정치적 관여는 꺼려 졌던 것이었다.

〈앞으로 몇 년 후 자네가 세계에 모습을 드러내는 존재가 될 때를 대비해서 외부에 자네의 지지 세력을 키워 놓는 것이 자네의 외교에 훨씬 보탬이 될 걸세. 이런 임무들에 내가 천거한 한스 닐란트 박사나 에른스트 빌헬름 볼레 같은 인물들은 훌륭한 외교관 역할을 해 줄 걸세. 이런 작은 시도들은 마치 안개비에 옷이 젖듯이 알게 모르게 침투되어 들어가는 것이란 말이지.〉

〈마르크스주의자들처럼 말인가요?〉

이 말에 둘 다 웃음을 터트렸다.

그리고 이내 나는 정색하듯 말하였다.

〈할 수만 있다면 마르크스주의자들처럼 파고들어가 그 마르크스주의자들마저도 자네 편으로 만들어야겠지. 영국과 프랑스, 아니 지금 전 세계는 마르크스주의자들의 빠른 침투에 바짝 긴장하고 있거든. 할 수만 있다면 마르크스주의자들도 흡수해야 하는 것이네.〉

그 역시 얼굴에 웃음기를 가시며 말했다.

〈노동자 계급의 나치당 흡수를 위해 공산당에서 내세운 것들을 일부 흡수하여 노동조합을 손에 넣을 것입니다. 우리 독일은……, 유대인들이 만들고 유대인들이 세운 마르크스주의 놀음에 한가히 놀아날 시간이 없거든요.〉

그의 표정이……, 무어라 표현할 수 없이 달라졌다. 예전에 내가 알던 그가 아니었다. 그는 이미 신세계국가건설을 위해 자신의 일생을 바칠 각오를 한 듯하였다.

그리고 그 신세계는 선택받은 민족인 아리안족이 세워야 한다는 굳은 결의가 그의 표정에서 그려졌다.

〈그리고 앞으로 10년 후쯤의 전쟁을 위하여 군수품 생산을 시작할 것입니다.〉

이 말에 깜짝 놀란 것은 오히려 내 쪽이었다.

〈그건……, 베르사유조약에 정면으로 대응하는 것이 아닌가?〉

〈공식적인 조약이라면 공식적으로 지키면 됩니다. 표면에 드러나지 않게 비공식적 편법은 얼마든지 가능합니다. 그리고 전 10년 안에 결말을 볼 것입니다. 잊으셨습니까? 생존공간 확보 말입니다. 그것을 위해서는 군사적인 우위가 곧 그 힘이 됩니다!〉

아직 의석의 20%도 안 되는 107석의 나치당이었다. 그리고 아직 그는 대통령이 된 것도 아니었다. 어떻게 군수품을 생산하겠다는 것인지 나로서도 의아하지 않을 수 없었다.

내가 걱정스런 생각에 잠겨 있을 때 그가 말을 계속 이었다.

〈뉘른 베르크와 뒤셀 도르프에 군수품 생산 비밀공장을 건립할 것입니다. 이 회사들은 독일계가 아닌 외국계회사로 등록할 예정입니다. 그리고 외국과 합작회사를 만들어 스웨덴, 네덜란드, 스위스, 러시아 등지에서 무기생산을 할 것입니다. 이것에 관한 것은 이미 제국은행총장 하르말 샤하트와 얘기가 끝났습니다. 그는 이미 나의 자금의 출처가 빌헬름 2세 폐하에게서 나온다는 것을 알고 있기에 오히려 그를 적절히 이용하고 있지요.〉

〈하지만······ 자네, 자금에 대한 계약조건을 모르는가? 자네가 막대한 자금을 받고는 있지만 자네가 대통령이 되기 전까지는 전액이 아닌 일부만을 받게 되는데, 자금을 어디에서 충당하려는가? 그러다가 조기에 파산할 수도 있네.〉

나는 그를 믿었다. 하지만 그의 조력자로서 만의 하나 부정적 경우의 수를 걱정하지 않을 수 없었다. 지금까지는 그에게 운이 따라주었지만 불운과의 교차점이 있다는 진리를 나는 알고 있었기 때문이었다. 실제로 그는 총통이 되기 전 잠시간은 파산직전에 도달하기도 했었다.

〈저는 몇 년 내에 대통령··· 아니 총통이 될 것입니다. 이상하게도 정확히 확신할 수 있습니다. 예감치고는 너무나 뚜렷한 무엇이 느껴집니다. 그렇다면 지금 서서히 준비를 시작해야 합니다. 몇 년 후에는 전쟁물자 운송에 필요한 도로와 철도 건설을 추진 할 것입니다.〉

그의 이런 예감은 오래지 않아서 현실로 드러났고 1933년 대통령에 선출된 그는 스스로 총통이라 칭하고 자의적으로 정당 활동을 금하고 나치당 유일체제를 구축했다.

그의 이런 군사적 예측 활동들은 너무나 시기적절하며 필요 물량과 규모의 정확한 계산은 그의 머릿속에서 마치 그려지듯이 추진되었는데, 그것에 관한한 그가 천부적이며 타고난 신세계의 제왕감임을 나는 추호도 의심하지 않았다.

〈박사님, 또 한 가지 외교부서에서 담당해 주어야할 일이 있습니다. 이것은……, 박사님께서 친히 비밀리에 추진해 주셨으면 합니다.〉

그의 눈빛에서 불이 튕겨 나올 듯 타오르는 무언인가를 나는 느낄 수 있었다.

〈비밀리에……? 무슨 일이 길래.〉

〈'사자의 서'를 찾아 주십시오.〉

나는 이 말에 묘한 교차점을 느꼈다. 그는 이미 나를 그리고 나의 생각을 넘어서 홀로 우뚝 서려 하고 있었다. 그는 이제 나란 존재가 없어도 스스로의 제국을 위해 제왕이 될 것이고 자신만의 왕국을 건설하려는 것이었다.

나는 어째서 단 한번도 '사자의 서'의 존재에 의구심을 갖지 않은 것인가?

아니, 단지 나는 그것을 상징적인 의미로만 받아들였었단 말인가?

어째서 그처럼 '사자의 서'를 찾을 생각을 하지 않은 것일까?
그가 신세계의 제왕이라면, 그것을 찾으려고 하는 것은 당연한 일이 아닌가?
〈아주 오래전 '사자의 서'에 대한 기록들은 지워진 걸로 알고 있네……, 파드마 삼바바의 사자(死者)를 위한 길안내에 관한 기록만이 남아 있다네. 하지만 사실이지 그 존재를 찾기란 불가능에 가깝다네. 샴발라는 어쩌면 그냥 상징적인 종교적 장소일 수 있네.〉
당황한 낯빛을 감추며 그리고 그의 이런 생각을 바꿀 의향으로 나는 재빠르게 말했다.
〈쉬울 것이라고 생각하지 않습니다. 하지만 저는 지금 박사님의 운명론을 믿고 싶습니다. 그리고 그 운명론을 확인하고 정당화 시키고 싶습니다. 저는……, '사자의 서'의 주인이 될 것입니다.〉
나는 그에게서 처음으로 서늘한 기운을 느꼈다.
그는 이제 내 위에 군림하는 인물이 되어 가고 있었다.
〈박사님! '사자의 서'가 있다는 샴발라를 찾아 주십시오. 이것을 위해 저의 친위대 군대를 언제든, 얼마든 사용할 수 있도록 허락하겠습니다.〉

그의 이런 의지는 '인드라 작전'이란 이름으로 샴발라를 찾기 위한 티벳의 친위대 파병으로 이어졌다. 이것은 그의 군대 최초의 해외 파병이기도 하였으며 당내의 같은 외국부서에서조차도 비밀리에 진행이 되었다.

그가 주문한 연구였으나 어떤 일면에 있어서는 고고학에 대한 나의 열정을 다시금 불사르는 연구가 되었다. 나는 젊은 날에 수집한 티벳과 그 주변국 히말라야와 산악지대에 대한 자료들과 근래의 젊은 학자들의 자료까지도 수소문하여 샴발라의 위치를 찾는데 주력하였다.

〈카일라스? 그 산에 샴발라가 있을만한 이유가 있습니까?〉

친위대 내에서도 파병에 대한 표면적인 내용 외에는 알려지지 않은 채 히틀러가 친히 파병에 대한 지휘를 맡고 있었다.

〈그렇다네. 그 산은 '인드라 신의 거처'로 알려져 있다네. 그리고 그 지역은 힌두교, 불교, 자이나교, 라마교, 등의 4대 종교에서 신성시 하는 산이라네. 또한 그들은 그곳을 우주의 중심으로 여기며 철저히 신들의 영역으로 인간의 입산을 금지한 곳이기도 하지. 그리고 '코라'라고 하는 티벳인들의 순례가 이어지는 성스로운 곳이라고 알려져 있네. 나는 많은 장소를 샴발라로 물색을 하였지만 히말라야 자락에 위치한다는 것뿐, 그 장소에 대한 뾰족한 정보를 얻지 못하고 있네만 왠지 이곳이 가장 끌린다고나 할까…….〉

〈말씀을 듣고 보니 저 역시 마음이 끌리는 곳인걸요. 그곳을 제일 먼저 탐사하는 것이 좋을 듯합니다.〉

히틀러는 만족스러운 표정을 지었다.

〈동양의 많은 탑들은 바로 이 카일라스성산을 본뜬 것이라고 하네. 그렇게 높은 경지에 도달한 신들의 세계에 대한 동경 같은 것이겠지.〉

이렇게 시작된 '인드라 작전'은 여러 번의 파병으로 이어졌다. 후에 전쟁이 시작되고도 더욱 치밀한 작전이 계속하여 추진되었다.

첫 번째 카일라스성산으로 보내졌던 '인드라 작전' 원정대의 7명 전원이 사망하였다. 이 일은 앞으로 '인드라 작전'이 그리 평탄치만은 않을 것이라는 암시와도 같았다.

역시 같은 장소로 보내졌던 두 번째 파병에서도 베이스캠프를 지키던 3명만이 살아서 돌아 왔다.

그들이 나에게 보고한 바에 따르면 성산 카일라스를 등반했다는 사람은 티벳 내에서도 전 세계 어디에서도 없다는 것이다. 그 산의 주변국들은 모두 이 산의 입산을 종교적인 이유로 금지하고 있어, 어느 누구도 길안내를 하지 않으며 카일라스를 한번 입산하면 인간의 모습으로는 나올 수 없는 신들의 영역으로 모두들 입산을 두려워했다고 전했다. 그럼에도 불구하고 입산을 단행했던 원정대는 또 다시 돌아오지 않았던 것이었다.

1933년 아돌프 히틀러, 그의 나이 40세에 실권을 장악하고 총통의 자리에 오른 후, 더욱더 강하게 '사자의 서'를 원했다.

카이저 빌헬름2세의 막대한 자금을 배경으로 그는 어떤 희생도 어떤 금전적인 경비도 샴발라를 찾는데 쏟아 부을 작정이었고 여전히 당내에는 비밀로 부쳐진 '인드라 작전'을 계획하는 나에게 그는 강한 압박을 가해오기 시작했다.

대외적으로는, 당시부터 그는 '집단 수용소'를 개설하여 자신에게 커다란 정적(政敵)이 될 공산주의자들과 사회민주주의자들을 체포, 숙청하는 수단으로 사용하였고 서서히 전체주의만이 독일이 살아남을 수 있는 길임을 역설하고 나섰다.

또한 유대인의 공직 임용을 금지 하고 상업 활동에 대한 금지 처분 등으로 아리안족이 아닌 타민족을 탄압하고 정치적으로는 독재자로서 그의 입지를 굳히며 강력한 권력을 만들어 가고 있을 때였다.

그러나 '사자의 서'에 대한 성과가 계속 불발되면서 그는 더욱더 집착하는 모습을 보였다.

어느 날 총통대리인으로 임명되어 이제는 히틀러의 오른팔임을 입증한 나의 제자 루돌프 헤스(Heß)가 찾아왔다.

〈교수님, 총통께서는 교수님이 직접 인드라 작전을 수행하기를 원하십니다.〉

정치적인 얽힘을 떠나서 나의 제자인 그는 이런 껄끄러운 명령하달에 불편함을 느끼는 듯하였다. 나 역시 그의 입장을 충분히 이해할 수 있었다. 헤스에게 있어서 히틀러는 자신의 주군이라는 의미 이상의 영웅적 존재였다.

〈내가 직접 나선다고 하여 찾아질 것이라고 생각하는가? 내 나이가 64세네! 이제 그렇게 활동적인 임무를 수행하기에는 너무 늙어 빠진 학자에 지나지 않네.〉

〈…….〉

히틀러와 스승의 사이에서 끼어 버린 그는 말없이 참담한 표정을 감추지 않았다.

〈그것은 마치 손에 잡히지 않는 무지개를 손에 넣으러 떠나는 것과 무엇이 다른가?〉

말없이 듣고 있던 헤스가 표정을 굳히며 말하였다.

〈총통께서 전하라고 명령하신 내용을 전하겠습니다. 말하기 전에 미리 말씀드리지만 저는 교수님의 의견도 존중합니다. 만약 거절하신다면, 전 그대로 총통에게 전할 것입니다. 총통께서 말씀하시기를 '사자의 서'의 존재는 교수님으로부터 알게 된 것입니다. 또한 누구보다도 신세계의 제왕이 되는 이를 기다린 것은 역시 교수님이십니다. 샴발라의 위치만이라도 찾아 주십시오. 그리고 총통께서는 더불어 이 말씀도 전하라고 하셨습니다. 앞으로 유대인들을 독일 내에서 추방할 것이며 이에 불복종할 시에는 집단 수용소로 보낼 것이라고 전하라고 하셨습니다.〉

청천벽력 같은 소리였다.

이 말을 전한 헤스의 이마에는 흥건히 땀방울이 맺혀 있었으나 계속 말을 이어갔다.
〈하지만 총통께서는 호퍼교수의 제국건설에의 지대한 공헌을 인정하시어 사모님의 추방만은 막아 주실 것을 약속한다고 전하라 하셨습니다.〉
이것은 협박이었다!
그가 나의 목을 옥죄어 오고 있었다.
이젠 총통임을 온 독일이 인정하고 있는 판국에 나 역시 그의 군인중의 한명일 따름 아닌가?
또한 그는 나의 아내가 유태인임을 이용하여 나를 자신의 밧줄에 얽어 메고 주종관계를 강요하며 명령의 불복종은 결국 죽음이라는 것을 한 수 가르쳐 주고 있었다.
더 이상의 선택의 여지란 없었다.
〈알겠네……. 총통의 명령을 따르겠네.〉
〈감사합니다. 교수님!〉
나의 반응에 헤스는 살 것 같은 표정으로 반기었다.

이렇게 나는 내가 만든 올가미에 스스로 빠져들어 갔다.
나는 오래전 스승님의 말씀이 떠올랐다.
'모든 일은 좋고 나쁨이 있는 것이 아니라 그것으로 인하여 단지 존재함을 느끼는 것만이 있을 따름이니라.'
내가 만든 이 일에 휩쓸려 들어가는 이 상황에 모든 판단력이 흐려짐을 느꼈다. 단지 스승님의 말씀만이 뚜렷이 가슴에 와 닿았다. 나는 이 순간 존재한다는 생각 외에는 할 수 없었다.
근 21년 만에 또다시 나의 티벳으로의 여정이 시작되었다. 그곳은 나에겐 영혼의 고향 같은 곳이었다. 하지만 이런 형태로 다시 그 땅을 밟게 될 줄이야.

제3차 '인드라 작전'에서 원정대의 인원은 10명. 그 중에는 동양 고고학 전문가인 쉬타인박사와 산악 전문가인 버만이 포함되어 있었다.
목적지는 역시 카일라스 산이었다. 이곳에 왜 '샴발라'가 있을 것이라고 강하게 끌리는지, 어째서 계속적으로 등반이 실패를 거듭하는지 직접 알고 싶었다. 하지만 이번마저 실패로 끝난다면, 이곳의 탐사는 접을 결심으로 다시 한 번 도전해 보기로 했다.

우리 일행이 오색의 깃발을 단 룽다가 날리고 있는 다르챈의 베이스캠프에 도착했을 때는 저녁 어스름이었다.
다음날 아침부터 카일라스 산의 주변을 한 바퀴 도는 '코라'라는 순례 트레킹을 위해서 몇몇의 티벳인팀들을 비롯해서 유럽인인 듯한 팀과 인도인들팀등이 캠프를 설치하고 있었다.
모두들 한눈에 보아도 인원과 짐이 많은 우리팀을 주시하였다. 다들 종교적인 목적으로 이곳을 찾은 사람들이라 노랑머리의 유럽인들이 캠프를 설치하는 것이 의아하였는가 보다.
원정대원들의 일부는 바삐 저녁식사준비를 하고 나머지들은 말 5마리에서 짐을 내리어 베이스캠프를 세우는데 열중하고 있었다.
나는 정보를 좀 얻을 겸 티벳인들의 막사에 들렀다. 그들은 간단히 짬빠로 저녁식사를 일찌감치 마친 후 잠자리에 들려고 하고 있었다. 야크 똥으로 만들어진 땔감이 독특한 냄새를 내며 타들어 가다가 어느덧 거의 꺼져가고 있었다.
나는 실례를 무릅쓰고 지긋이 나이 들어 보이는 티벳 노인들에게 말을 붙이기 시작했고 그들은 이국적인 이가 무엇 하러 왔을까하는 호기심으로 나에게 관심을 보였다.

그들은 자신들 인생에서 최고 절정의 순간을 위해서인지 옷을 차려입은 모습이었다. 머리에는 중절모를 쓰고 있었고 차이나 칼라의 깨끗한 옷을 안쪽에, 겉에는 한 쪽팔 만을 끼워 넣도록 되어 있는 외투를 입고 있었다.

〈안녕하십니까? 어르신 여기는 왜 오셨는지요?〉

겸연쩍게 먼저 말을 꺼냈다. 일행인 듯한 노인 세 명은 텐트에서 잠을 청하려 준비하다가 말고는 일제히 모닥불 가에 와서 나란히 앉아서 나를 주시하였다.

〈오오, 이렇게 티벳어를 잘하는 외국인은 처음이네 그려!〉

그들끼리 감탄하며 나의 티벳어에 찬사를 보냈다.

〈오래전에 사키아에서 승려이신 스승님께 배웠지요. 한 2년간 머물렀던 적이 있었습니다.〉

〈근데, 여기는 무엇 하러 오셨수?〉

노인 중 한명이 궁금해서 견딜 수 없다는 듯이 대뜸 물었다.

〈아 사실은…, 카일라스를 등반할까 해서 왔습니다.〉

이 말에 노인들은 서로 얼굴을 쳐다보며 이야기를 나누는데 사투리가 섞여 잘 알아들을 수 없었다.

〈그건 안 될 말이야. 그리고 가능한 일도 아니고…….〉

노인 한 사람은 얼굴을 굳히고 설득하듯 꾸짖듯 말하였다.

〈왜 그렇습니까?〉

〈이 산에 우리는 죽으러 온 사람들이야. 우리가 '코라'를 하는 것은 스스로 우리 자신의 죽음을 깨닫기 위한 것이란 말이야. 이곳은 죽음을 맞이하러 오는 곳이야. 그러니 저 산에 들어가는 것은 곧 죽음의 경지에 가기 위한 것이야. 죽음의 경지에 이르면서 깨달음을 얻는 곳이란 말이지. 그 경지에 다다라야 진정으로 새로운 삶을 얻게 된단 말일세. 그래서 죽기 전에 업(카르마)을 씻기 위해 우리

는 이곳을 순례하고 성스러운 물인 '마나사로바 호수'에서 목욕을 하는 것이지.〉

노인의 말에 다른 노인도 역시 신이 난 듯이 이야기를 이어갔다.

〈예로부터 수 천년동안 이 산은 어느 누구도 살아서 돌아오지 못한 곳이야. 전설에 누가 누가 넘었다더라하는 것은 모두 거짓이란 말이야.〉

그들은 이토록 강하게 등반에 대해 부정적이었다.

티벳인들의 이야기와 그 동안의 등반의 실패로 인해 나는 다음날 아침 등반 대신 이들과 카일라스 주변을 한 바퀴 도는 '코라'를 하기로 결정하였다.

그들에 따르면 3일정도의 시간이 소요된다고 하는데 대부분의 티벳인들은 새벽부터 시작해서 하루 만에 코라를 끝내기도 한다고 했다.

이른 새벽부터 서둘러 막사를 거두어들이고 티벳인들이 타루초, 룽다에서 그들만의 간단한 예불을 올리는 것을 기다렸다가 그들이 출발함과 동시에 '코라'를 시작하였다.

다섯 마리의 말을 끌고 우리 일행도 그들을 따랐다.

어떤 티벳인들은 오체투지를 하면서 척박한 자갈과 암석 밭의 길을 따라 고행을 하고 있었다. 또 잔뜩 겨울옷을 여러 벌 껴입은 인도인 부부가 하인 두 명을 거느리고 순례길에 오른 모습도 보였다.

나무 하나 없는 건조한 지형에 완만한 계곡을 따라 쉬다 가다를 반복하면서 거의 하루 종일이 걸려 3일이나 걸린다는 순례의 첫 번째 종착지에 도달했다.

낮은 두 개의 봉우리 너머로 위엄스럽게 만년설에 덮인 카일라스의 모습이 드러났다.

높은 계단을 하늘로 쌓아 올린 듯 그 성스러운 모습을 나타낸 성산 카일라스는 가히 신의 거처라 할 수 있을 만큼 거룩하였다.

카일라스에 홀려 눈을 떼지 못하고 있을 때 유럽인인 듯한 낯선 사내가 커피냄새를 풍기며 다가 왔다.

〈정말 대단하죠? 시바 신과 붓다의 거처라고 할 만하지 않습니까?〉

철재 컵에 김이 모락모락 나는 커피를 들이키면서 사내는 말을 꺼냈다.

〈저는 미국인입니다. 마크 존스입니다.〉

사내는 나를 보고 웃으며 악수를 청하였다.

〈아, 나는 독일인이네. 카를 하우스 호퍼라고 하네.〉

서로 통성명을 하고는 약속이나 한 듯이 다시 성산카일라스로 눈을 돌렸다.

존스는 시를 읊듯 감탄하며 말하였다.

〈마치 이집트의 거대한 피라미드 같지 않나요? 한편으로는 동양의 탑 같기도 하고요?〉

〈그렇군. 거의 흡사 그런 느낌이야.〉

어슴푸레 해가 지기 시작하고 있었고 성산은 투명한 붉은색의 루비처럼 붉게 빛났다.

〈모든 종교의 시작이 이 산에서 시작되었다면 믿어지시겠어요? 힌두교도들도 불교도들도 이곳을 자신들의 종교의 시작으로 여기죠. 그리고 더불어 고대 이집트인들까지도 그렇다고 가정한다면 비약일까요? 저길 보세요, 그 증거가 바로 저기 보이는 카일라스죠.〉

그의 흥미로운 이론에 솔깃해져 나는 그를 쳐다보았다.

〈아, 저는 종교학자입니다.〉

그는 어깨를 으쓱해 보이며 천진스럽게 웃고 있었다.

40대 중반으로 보이고 키는 컸으며, 호남형 얼굴이 붉은 노을에 물들어 있었다.

〈흥미로운 이론이군. 이곳에는 종교 연구를 위해서 온 것인가?〉

〈네, 사실은 연구차원의 방문이었지만 확인을 해보고 싶은 것이 생겼어요. 아, 그리고 피라미드에 관한한은 순수하게 저의 독자적인 생각입니다. 이곳에 와서 직접 내 눈으로 보고 학자적인 관점에서 느낀 것이지요. 증거를 찾는 것은 돌아가서 해야 할 일이지만……, 벌써 두 달 동안 이곳을 10번째 순례하고 있습니다. 10번 순례를 하면 윤회의 업을 벗을 수 있다는데 다음에는 어디서 태어날지……. 하핫, 근데 볼 때마다 드는 생각이…… 피라미드도 이곳을 본뜬 것 같다는 것입니다. 그리고 이 산을 중국과 동양에서는 무어라고 부르는지 아십니까?〉

〈아니, 카일라스라는 이름 외에는 들은 바가 없네만…….〉

〈수메르 산입니다.〉

〈수메르? 수메르라면 오래된 잘 알려지지 않은 베일에 가려져 있는 문명 아닌가?〉

〈아, 이것 참 종교와 고고학에도 조예가 있으신 분을 만나다니 정말 즐겁습니다.〉

그는 잘생긴 고른 이빨을 드러내면서 시원스레 웃으며 말했다.

〈아하하. 고고학은 왕년에 청년시절에 관심을 가졌고 사실 고고학에 관심이 있는 사람들은 종교에 관심을 가질 수밖에 없지 않은가?〉

〈네, 정확히 그렇지요. 혹시 직업을 여쭈어 봐도…….〉

그는 겸연쩍어 하면서도 깊은 관심의 눈빛으로 내게 물었다.

〈뮌헨대학에서 지정학을 가르치는 일을 하고 있네.〉

〈아하~ 어쩐지 심상치 않은 학문의 깊이가 느껴지더라니…….

그런데 지정학이란 학문은 생소합니다만, 20세기에 반드시 필요한 학문일거란 생각이 퍼뜩 듭니다.〉

〈그렇다고 할 수 있지. 사실 학문이라는 것은 수세기간 인간들의 행위의 집대성과 통계와 지침 같은 것인데, 1500년대 이래로 유럽인들이 신대륙 개발과 식민지 개척을 통하여 얻은 많은 지리적이며 정치적인 사실적 경험들이 집대성되어 이론적인 정리가 필요한 단계에 와 있지.〉

그는 내 이야기를 심각하고 진지한 표정으로 듣고 있었다.

〈그렇다면 그 지정학적인 관점으로 저기 우뚝 솟아 있는 수메르 산을 연구해보면 참으로 흥미로울 것 같다는 생각이 듭니다.〉

그의 말에 문뜩 생각이 떠올라 나는 화제를 돌렸다.

〈참……, 이곳을 동양에서는 수메르 산이라고 한다는 것은 어떤 연유인가? 또 그것이 정말 수메르와 연관이 있단 말인가?〉

〈아, 그것은 사실 전혀 기록적으로 정확히 남아 있는 바가 없습니다. 하지만 불교 계통의 동양인들은 이곳을 수메르 산(수미산의 원어발음)이라고 부릅니다. 그 사실만이 현재 덩그러니 남아있죠……. 그런데 여기에 어떤 유추는 가능하리라 생각됩니다. 작년에 잠시 프랑스 팀에서 연구하는 수메르 문명의 점토판 해석에 참가한 적이 있었습니다. 수메르의 창세 신화에도 기독교와 마찬가지로 흙으로 인간을 신의 모습과 똑같이 만들었다는 내용이 나와서 연구원들이 모두 동요한 적이 있었지요. 아마도 미개문명일거라고 생각했던 수메르 문명에서 성서가 쓰여 지기 수 천 년 전에 이미 이런 신화가 존재했다면 독보적인 성경의 내용은 절대 독보적인 것이 아니라 보편성을 가지게 되면서 오히려 성경이 이를 본뜬게 된다는데 모두들 충격을 받았었지요. 그래서 이 부분의 연구는 발표되지 않을 가능성이 큽니다. 하지만 저는 성서와 겹쳐지는 이

부분에 초점을 맞추었지요. 성서의 연구가들은 에덴동산의 위치를 찾는 것에 고심합니다. 그러나 성서에 있는 단서라고 해봐야 그저 동방에 있으며 4개의 강의 발원지라는 것 외에는 위치에 대한 기술이 빈약하지요. 그렇다면 인간이 쫓겨난 그 금단의 땅, 에덴동산은 과연 어디일까요? 이런 의문들의 끝을 따라가 연구를 하던 중, 이곳 카일라스에 티벳인들의 전설에서 에덴동산과 유사한 샴발라가 존재한다는 사실을 알게 되었습니다.〉

그의 말에 나는 촉각을 곤두세웠다.

그는 나와 같은 목적으로 이곳에 온 것이 아닌가?

〈샴발라?〉

〈네. 그들이 말하는 샴발라라는 곳은 정확히 에덴동산의 설정과 동질성을 갖는다는 사실을 발견했죠. 게다가 카일라스를 그들은 수메르 산이라고 부르고 있다는 사실에 더더욱 놀라움을 금치 못했습니다.〉

나는 정신을 다잡고 그에게 오히려 과감히 질문을 던졌다.

〈그렇다면……, 샴발라를 찾을 수 있겠는가?〉

〈하하, 그리 쉬운 것이었으면 제가 이곳에서 몇 달씩 머물 이유가 없겠지요. 하지만…… 이곳에서 '코라'를 여러 번하면서 더더욱 저 카일라스가 에덴동산일거라는 예감이 드는 것을 느꼈답니다.〉

〈자네는 샴발라, 아니 에덴동산을 찾는 이유가 무엇인가?〉

나는 조심스럽게 그의 표정을 살피며 말을 꺼내었다.

〈시초는 학자적 호기심과 탐구심이라고 할 수 있겠지만……, 이것이 점점 나의 생을 건 연구가 될 것 같다는 생각이 드는 군요. 하핫! 사실은 연구를 시작하면 논문을 써야 할 텐데, 이렇게 학술적 근거를 찾지 못하고 느낌만으로 논문을 쓴다는 것은 소설가와 무엇이 다르겠습니까?〉

어둑해져 오는 카일라스 산 정상의 흰 눈이 서서히 빛을 발하는 달에 비추어 영험한 모습으로 빛나기 시작했다.

〈저 카일라스는 암석의 산으로 되어 있고 깎아 지듯 가파르고 눈으로 사시사철이 덮여 있는 설산인데 저 가파른 꼭대기와 산에 과연 인간이 살았으리라 생각하는가?〉

나는 아주 현실적이고 직설적으로 질문을 던졌다.

〈사실 종교학자이지만 종교의 많은 부분은 신화적 부분이므로 현실성이 급격히 떨어집니다. 신이 세상을 창조하고 여자와 남자를 흙으로 빚어 살게 했다는 성서내용 자체가 비현실적이죠. 그리고 현지의 사람들도 저 카일라스 산에 인드라 신, 시바 신이 그들만의 신전에 살고 있다고 믿고 있는데, 그것은 인간의 눈으로는 볼 수 없는 다른 차원의 것이라고 합니다. 그러니 종교를 논하는데 있어 현실적인 해석은 참으로 어려울 수 있습니다.〉

〈그렇군.〉

이제 해는 완전히 지고 살이 거의 차올라 완전한 원이 되어가는 달이 묘하게 카일라스성산 바로 위에 떠 있어 이국적이고 신비스러운 달밤을 연출하고 있었다.

〈달이 뜨면……, 환상의 섬으로 가는 길이 나타난다…….〉

〈지금 뭐라고 했는가?〉

그의 중얼거림에 나는 다시 반문했다.

〈달이 뜨면 환상의 섬으로 가는 길이 나타난다. 이것은 달의성 계곡의 전설입니다.〉

〈달의성 계곡?〉

〈네 달의성 계곡은 카일라스를 지나 마나사로바 호수에서 300킬로 떨어진 곳에 있는 곳입니다. 이곳에 이런 전설이 있다고 하는군요. 그래서 티벳 사람들 중에서는 이곳에 샴발라가 있다고 한다는

군요.〉
나는 뇌에 감전이 온 듯한 느낌이 왔다. 왠지 이 느낌을 쫓아야 할 것 같은 강한 이끌림을 받았다.
〈저는 '코라'가 끝나는 내일 모레 이곳으로 출발할 것입니다. 교수님도 함께 가시겠습니까?〉
그는 나의 마음을 읽기라도 한 듯이 선뜻 내게 동행을 권유했다.
〈나도 꼭 가보고 싶군.〉
나는 기다렸다는 듯이 승낙을 하였다.

동행을 약속한 뒤 캠프에서의 그날 밤은 고통스러운 불면의 밤이었다. 어느 정도 고도에 적응한듯하였으나 심한 두통과 심장마비가 올 것 같은 통증으로 잠을 제대로 이룰 수가 없었다.
컨디션이 좋지 못한 상태인데다가 '코라'의 둘째 날은 정말 난코스였다.
힘들게 될마라라는 '해탈의 고개'에 다다랐을 때 사람들은 향을 피우고 고개 정상에서 '풍마(風馬)'를 날리었다.
이 고개위에는 사람들의 옷들이 잔뜩 쌓여 있었는데 이곳에서 업(카르마)을 벗어 놓는다는 의미에서 옷이나 지니던 물건 등을 놓고 간다고 했다.
이 해탈의 고개에서 조금 떨어진 곳에 조장 터가 있었는데 이것은 이승에서 마지막으로 보시를 한다는 의미에서 죽은 이의 사체를 조각내어 까마귀의 먹이로 주는 장례풍습인데 티벳인들 사이에서는 지금도 성행하고 있는 풍습 중에 하나라고 했다.
그날 저녁때가 되서야 존스가 가져다준 약이 효과가 있었는지 고산병이 좀 잦아든 듯했다.
셋째 날은 우리 원정대는 존스 팀과 어울려 마나사로바 호수로

가기로 했다. 존스 팀은 간단히 두 명의 제자를 대동하고 있었다.

완만한 거의 평지 같은 길이 계속 이어지고 얼마지 않아 하얀 설산을 배경으로 마치 바다같이 넓은 호수가 눈앞에 나타났다. 호숫가 옆에는 죽은 야크의 무덤인 듯 커다란 두 개의 뿔을 가진 수백 마리의 죽은 야크의 머리가 무덤처럼 쌓여 있었다.

존스 팀과 어울린 우리 팀 외에도 인도인들인 듯한 이들이 함께 호수에 다다랐다. 물은 맑았으나 고산지대답게 7월인데도 굉장히 찼다.

하지만 인도인들은 이에도 아랑곳하지 않고 옷을 벗고는 모두 물속으로 들어갔다. 그들은 상당한 부자들인지 벗어 놓은 옷 위에 금으로 된 목걸이, 반지, 진주가 박힌 팔찌를 잔뜩 풀어 놓고는 그 차가운 물속에 들어가 아예 머리까지 집어넣어 담그었다가 한참 뒤에 물에서 나왔다. 그리고 흐느껴 울기 시작하였다.

이런 의아한 행동들이 나는 잘 이해가 되지 않았지만 종교학자인 마크 존스박사 눈에는 상당히 흥미로운 구경거리였던지 사뭇 진지하게 그들의 행동을 주시하고 있었다.

〈그들은 시바 신의 축복을 받았다고 생각합니다. 그들의 본토에 갠지스 강에다가 몸을 담그는 것을 신의 커다란 은총이라고 생각하는데 그 이유는 갠지즈 강이 바로 이곳 성소이며 그들이 우주의 자궁이라고 부르는 마나사로바 호수에서 발원했기 때문입니다. 그 외에도 인더스 강, 수트레이 강, 브라마푸트 강등 4개의 강의 발원지이기도 하지요. 시바 신은 창조를 위한 파괴의 신으로 우리가 지나왔던 카일라스에서 그 모든 창조와 파괴를 행한다고 생각한답니다.〉

어제 고산병으로 죽다가 살아난 나는 성스러운 호수에 손이라도 담글 의향으로 호숫물을 가지고 간 철재 컵에 한가득 담았다. 그리고 시바 신의 축복을 의미한다는 그 물을 들이켰다. 이가 시릴 듯 차가운 물이 고산병으로 앓던 온몸을 씻어 내리는 듯 했다.

이것을 지켜보던 존스박사는 그의 멋진 웃음을 보이며 재미있다는 듯이 말했다.

〈하핫! 어떻게 축복이 느껴지십니까?! 이 호수와 쌍둥이 호수가 있습니다. 원래는 한 호수였는데 아주 오래전에 두 개의 호수로 갈라졌다고 합니다. 바로 락샤스탈 호수입니다. 하지만 이곳사람들은 그 곳을 악마의 호수로 부르고 있지요.〉

〈악마의 호수? 이런 성스로운 산과 호수가 있는 곳에 악마의 호수가 있단 말인가?〉

그는 재미있는 놀이를 하는 어린아이의 얼굴마냥 즐거운 듯 나의 반응을 즐기고 있었다.

〈네. 참 흥미롭죠? 제가 두 달 전 이곳에 처음 와서 티벳인들로 안내인들을 고용하여 그 호수에 다다르자 그 티벳인이 귀띔해주기를 '이곳은 외로운 영혼이 모여드는 호수이니 이 호수를 오래 쳐다보지 말라. 호수가 당신을 호숫가에 붙잡아 둘지도 모른다.' 이렇게 말했지요.〉

〈그 호수는 어디에 있는가? 그 호수에 가보고 싶은데.〉

〈티벳인들은 악마의 호수를 꺼려합니다. 될 수 있으면 근처에 가려하질 않더라고요. 물이 독성이 있어 먹으면 죽는다는 둥, 검은 물로 되어 있다는 둥, 죽음의 호수이므로 물고기와 풀이 자라지 않는다는 둥 그 주변에는 바람이 드세어 접근하면 위험하다는 둥 너스레를 떨더라구요.〉

〈그런 말을 들으니 더욱 궁금해지네만. 달의성 계곡으로 가기 전에 잠시 들릴 수 없겠는가?〉

〈글쎄……, 보시면 뭐라고 하실지 모르겠지만……, 제가 그들

이 너스레를 떤다고 한 것처럼 저는 별다른 점을 전혀 느끼지 못했습니다.〉

사전 계획에 없던 일정으로 캠프 설치를 멈추게 하고 다음 장소로 이동하여 그곳에서 캠프를 치기로 하였다. 이동 시간이 얼마 걸리지 않아 원정대는 또 다른 호수에 도착하여 캠프를 설치하기 시작했다.

호수는 그의 말처럼 별 다른 점을 느낄 수 없었다. 잔잔한 물결이며 맑고 깨끗한 물은 그들이 말하는 것처럼 검고 독성이 강한 것처럼 보이지 않았다.

나는 호수 근처로 내려가서 호기심이 강한 학자답게 선뜻 호수의 물을 컵에다가 한 가득 퍼 올려 마시기 시작했다.

〈음…… 물맛이 다르군. 약간 소금기가 느껴지는 것 같기도 하고.〉

이를 지켜보던 존스박사는 강하게 고개를 끄덕이며 말했다.

〈네 맞습니다. 이곳은 염수호입니다. 신기하죠? 5000m나 되는 고산지에 바닷물이 있는 것이? 그리고 마나사로바 호수는 담수호였는데 어떻게 두 개가 같은 호수였었는지 그것도 의문입니다. 또한 가지 재미있는 사실은, 우주의 자궁이라는 마나사로바 호숫물과 비교해 보았을 때 약간의 염분을 가지고 바닷물성분과 비슷한 이 악마의 호수의 물이 더욱더 임산부의 양수에 가깝다는 것이지요.〉

〈오호……, 그러고 보니 이곳은 그리 무섭지도 물이 독성이 있지도 않은 것 같은데……, 티벳인들은 이곳이 과연 악마의 호수이기 때문에 두려워한단 말인가?〉

〈글쎄요…….〉

말을 흐리면서 그는 호수 건너편에 보이는 거대한 카일라스 산을 바라보고 있었다.

〈이상하게도 마나사로바 호수에서 보다도 카일라스가 더 잘 그리고 정면으로 보이지 않습니까? 하지만 마나사로바 호수는 오히려 호수 남단의 신녀 봉이라고 불리는 나이모나니 산이 더욱 잘 감싸 안은 듯이 보인단 말이에요. 하지만 이곳에서는 저 거대한 카일라스가 너무나 호수의 품에 담기듯이 보인다는 말입니다.〉

정말 그랬다.

카일라스 산의 면 중에서도 가장 신성시된다는 33개의 거룩한 계단이 바로 보이고 그 계단의 홈이 안개가 살짝 낀 호수 위에 정확히 눈에 들어와서 마치 호수에 계단이 이어진 듯 보일 정도였다.

그는 가늘게 눈을 뜨며 생각에 몰입 된 듯 말을 이었다.

〈어쩌면…… 신성한 이유로 오히려 접근을 막으려고 일부러 의도적으로 악마의 호수니, 가까이 가면 영혼을 빼앗기니 이런 말들을 지어낸 것 같은…….〉

나 역시 그의 말에 강한 동감을 느꼈던 것은 왜일까?

〈그들의 너스레는 오히려 경고처럼 들리네.〉

그리고 서로 얼굴을 마주 쳐다보았다. 존스박사는 눈을 동그랗게 부라리며 오른쪽 주먹으로 왼쪽 손바닥을 치면서 흥분한 듯 말했다.

〈그렇다면 이곳이 오히려 신성한 호수군요! 그들이 말하는 우주의 자궁! 이곳을 몇 번이나 와 놓구서두 저는 왜 그런 생각을 하지 않았을까요?〉

하지만 이런 짐작들에 강한 의구심이 들 수밖에 없었다.

왜 그들은 그들에게 면면히 구전되어 오는 신성한 호수에 대해 그 신성함을 오히려 감추려고 의도했을까?

존스박사는 이런 추측에 다다르자, 학자적인 호기심과 학문적이고 현실적인 사실에서의 충돌로 심적으로 상당히 고민에 빠진 눈치였다.
〈이건…… 연구의지를 강하게 불 지르는데요……. 고고학에서 '왜일까'라는 의문어는 상당한 모험과 탐구와 희생을 요하는 단어이지요. 그런데…… 오늘 그 금단의 단어가 종교고고학자인 나의 뇌리를 휘젓는 느낌입니다.〉

그날 밤은 고산병도 없었고 샴발라를 찾아야 된다는 압박감에서도 유일하게 벗어났던 밤이었다. 하지만 나도 존스박사도 잠을 이룰 수가 없었다. 마치 거대한 급류에 휘말려 정신없이 이끌려 들어가고 있다는 느낌이었다.

다음날 아침 일찍 서둘러서 짐을 챙기고, 순례를 마치고 돌아가는 티벳인들에게서 말을 구입했다. 그들이 생각한 것보다 후한 값을 치르자 순순히 말을 팔았다.
덕분에 모두들 말을 타고 자다마을로 출발했다.
이윽고 원정대와 존스박사 일행은 토림(土林)이라고 불리는 황무지의 땅에 다다랐다. 고산지에서 내려오며 바라본 토림은 나무하나 없는 황량함과 자연이 빚어낸 감동 그 자체였다.
놀라서 입을 다물지 못하는 우리 일행들의 반응 즐기며 그는 신이 나서 말했다.
〈이 곳은 마치 미국의 그랜드 캐년과 흡사합니다. 거대한 언덕들이 기하학적인 모습으로 마치 군상들처럼 즐비한 조각 같지 않습니까?〉
〈미국에 가본적은 없네만 이런 광경과 비슷한 곳이 있다니 놀라

울 따름이네.〉
〈저 산지들은 모두 물속에 오랜 시간 잠겨서 침식했거나 거대한 강의 침식작용으로 만들어 졌다고 합니다. 수 만년을 거쳐서 자연이 만들어낸 예술작품인 것이죠.〉
〈그렇군. 예술이네. 이 황량한 곳이 샴발라라고 누가 묻는 사람이 있다면, 아마 그럴 거라고 답할 것 같은데.〉
나의 농담에 모두들 한바탕 웃음을 토해 냈다.
토림의 저 너머에는 역시 설산들이 즐비하게 늘어서 있었는데 그 산들을 넘으면 인도 땅으로 갈 수 있단다.
토림 사이로 한참을 말을 달려 자다마을을 가던 중 스투레지 강의 물줄기를 만났다. 이 강은 마나사로바 호수에서 발원한 것이라고 했다.
좀 더 가다가 강줄기를 따라 이동하는 야생낙타의 떼를 만났다. 한 50여 마리 정도 되어 보이는 낙타는 신기하게도 등에 혹이 두 개씩이었다. 오래전 이집트의 사막에서 피라미드를 관광한 적이 있었는데 그 곳의 낙타들은 모두 혹이 하나였던 것을 기억해 내고는 신기해했다.
그리고 또한 신기한 것이, 벌써 며칠째 나무 한 그루 볼 수 없었고 더욱이 오늘 하루는 토림의 황무지의 먼지 사이를 헤쳐 온 터였기에 풀 한포기도 보지 못한 일행들을 맞이한 것은 자다마을의 나무들과 초원이었다. 오아시스 마을이기는 했으나 모두들 신기해하며 이곳이 샴발라가 아닌가하고 농담들을 하였다.
티벳을 여행하던 중 처음으로 안락한 숙소를 구하고 고기와 더불어 식사다운 식사를 하였다.

다음날 자다마을에서 멀지 않은 달의성계곡인 다와쫑으로 출발했다. 이곳은 사람들의 왕래가 거의 없었고 버려진 곳이라고 했다. 말을 타고 한 시간가량을 가자. 놀라운 광경이 눈에 들어 왔다.

버려진 곳이라고 했는데 토림의 흑산 전체가 구멍이 숭숭 뚫려 있었다.

〈이곳이 달의성 계곡입니다. 이곳사람들은 여기를 구게라고 부릅니다. 구게란 동굴을 뜻하죠.〉

〈이런 곳에 이런 도시를 만들다니……! 그것도 산에 굴을 뚫어 마치 고층건물을 보는 듯하는군. 이 정도의 규모라면 상당히 큰 도시인데.〉

존스박사는 사진기를 들고 거대한 토굴의 도시를 촬영하기에 여념이 없었다.

나 역시 가지고 갔던 사진기에 일생에 한번 볼까 말까한 유적지를 담으면서 그에게 질문했다.

〈이 불모지의 땅에 사람들은 무얼 먹고 살고 어떻게 삶을 영위했겠는가?〉

〈상당히 미스터리한 부분이 있습니다. 그들에 관한 기록이 전혀 없어 거의 구전되는 역사의 기술에 의존할 수밖에 없죠. 그들이 어떻게 살았는지는 물론 왜 멸망했는지도 베일에 가려져 있습니다. 이곳을 보시죠.〉

존스박사가 일행을 데려 간 곳은 사원인 듯한 곳이었다. 일부는 훼손이 되어 있었지만 사람의 왕래가 거의 없고 건조한 날씨 탓인지 사원의 벽화가 선명히 남아 있었다. 언뜻 보기에 후기 밀교불교의 그림처럼 보였다.

존스박사는 벽화의 이 곳 저 곳을 손톱으로 살짝 긁거나 문질러 보면서 말했다.

〈호퍼박사님, 이 벽화를 잘 보십시오.〉

존스박사가 긁어낸 부분은 황금색으로 칠해진 부분이었다. 그는 그 부분의 벗겨진 칠을 손가락에 문질러 햇빛이 있는 쪽으로 비추어 보았다. 햇빛을 받아 그것은 반짝이고 있었다.

〈금가루군!〉

나는 놀라서 그의 반응을 기다렸다. 그것이 금가루면 벽화의 상당부분이 황금색으로 칠해져 있었는데 그것이 모두 금칠을 했다는 얘기가 된다.

〈호퍼박사님도 그렇게 생각하시죠? 금이라고. 그리고 이곳은 푸른색부분은 청금석입니다.〉

〈오오! 놀랍군. 이 불모지에서 그런 광석이 나올 리는 없고 그것을 수입할 정도로 이곳이 부유했다는 말인가?〉

〈이곳은 700년간 건재했던 왕국이었다고 합니다. 모두들 그 실체를 알 수 없어 그냥 동굴이라는 이름으로 '구게 왕국'이라고 칭하고 있지만 분명 상당히 부유하고 번창했던 왕국임이 분명합니다. 하지만 정말 이상할 정도로 기록들이 완벽히 사라졌다는 것이죠.〉

참으로 이상하지 않은가?

이 거대한 도시국가에 관한 기록이 세상 어디에도 없다니.

〈마치 없었던 꿈의 왕국처럼 어느 역사에서도 기록이 남아 있지 않은 유령 같은 장소였다? 샴발라의 전설에 참 걸맞은 곳이군그래.〉

그 시간 이후 원정대는 이 알 수없는 구게 왕국의 탐사를 시작했다. 동굴방의 숫자는 500여개에 달했고 성처럼 높은 토림의 산꼭대기에는 왕의 궁이 있었다.

왕의 방을 탐사하던 중 흥미로운 시설을 발견했다. 왕의 방에 이어진 기다란 관과 같은 통로였는데 사람 하나가 들어갈 정도의 통로였다. 통로는 아래로 기다랗게 이어 졌는데 왕의 방이 산의 꼭대기에 지어진 것을 본다면 통로가 그 아래에 까지 이어져 있다는 이야기가 되는 것이다.

한참을 흥미롭게 통로를 살피던 존스 박사가 어두운 통로로 몸을 들이 밀어 냄새를 맡듯이 고개를 처박고 있었다. 그리고는 벌게진 얼굴을 들어 올리며 의아해 하며 말을 꺼냈다.

〈이건 수로인 듯합니다. 왕의 방까지 물을 올려 보내는 장치인 듯합니다.〉

나는 놀라지 않을 수 없었다.

〈아니 그 시대에 상수도를 갖추었었다는 것인가?〉

〈이건 어디까지나 추측입니다.〉

버려진 왕국의 탐사가 끝나고 우리는 그 토굴이 즐비한 흡사 거대한 건물과도 같은 산 앞쪽에 캠프를 설치했다.

거대한 대 자연의 토림 속에는 밤이 찾아 왔다. 보름달에 비친 구게 왕국의 모습은 문명사회를 살아가는 20세기의 사람들을 마주하고 시간속에 그 비밀을 감춘 채 신비스럽게 우뚝 서 있었다.

모닥불을 켜고 다들 잠들지 못하고 있을 때쯤에 다가오는 그림자가 있었다. 그는 중키의 남자로 티벳어를 쓰고 있었다. 존스박사는 무어라고 하는지 통역을 나에게 부탁했다.

〈소리가 들려……, 소리가 들려…….〉

모두들 반사적으로 사내를 의식하며 남자의 행동을 살폈으나 그리 위협적인 인물로 보이지는 않았다.

그는 점점 모닥불 근처로 다가와서 일정 거리에서 멈춰 서서 무어라고 중얼중얼 거렸다.

나는 동네에서 정신 줄을 놓은 사람일거라고 생각하고 무시하려 했다.

〈보름달이 뜨는 소리야……. 이 소리 안 들려?〉

그는 누군가에게 물어 보듯이 중얼거렸다. 그를 보다 못해 먼저 일어 선 것은 존스박사였다. 그는 사내에게 다가가 그에게 말을 붙였다. 나 역시 그를 따라 일어서 통역을 했다.

〈무슨 소리가 들립니까?〉

〈새들이 나는 소리……, 보름달이 뜨는 소리…….〉

〈아무소리도 안 들리는데요.〉

그러던 중 나는 문득 그에게서 이상한 느낌을 받았다. 즉시 그 사내의 손을 잡고는 천천히 모닥불 근처에 와서 앉혔다.

내 느낌이 맞았다. 그는 장님이었다. 동공의 움직임이 없었다.

이번에는 내가 오히려 궁금해져서 사내에게 물었다.

〈소리가 어디에서 들리는가?〉

〈저어기.〉

사내가 가리킨 곳은 토성의 꼭대기에 위치한 왕의 방 쪽이었다.

재빠르게 나와 존스박사는 일행 중에 4명을 따르도록 시키고 손전등과 권총을 준비시켰다. 토굴 속이야 어둑하였지만 달빛이 밝아 밖에서는 손전등이 필요 없을 정도였다.

장님사내와 존스박사, 나 그리고 나머지 일행 4명은 왕의 방에 다다랐다.

〈소리가 여기서 들려…….〉

사내가 가리킨 곳은 왕의 방의 상수도의 수로역할을 할 것이라고 낮에 존스박사가 추측했던 그 관이었다. 존스박사는 관에다가 낮과 마찬가지로 고개를 깊숙이 집어넣어 한참을 무언가 들으려고 애를 썼다.

이윽고 고개를 들어 올린 그가 소리쳤다.

〈소리가 들립니다!〉

그의 말에 모두들 놀라 동요했다.
나 역시 관으로 다가가가 머리를 관에다가 집어넣듯이 밀어 넣어 귀를 기우렸다.
〈퍼더덕. 퍼더덕. 퍼더덕.〉
이 소리는 마치 새가 날개 짓할 때처럼 퍼덕대는 소리였는데 소리로 가늠해 보건데 그 새의 숫자가 수 만 마리는 될 것 같았다.
이런 불모의 땅에 수 만 마리의 새가 있다?
전혀 들릴 이유가 없는 곳에서 들리는 소리를 들은 나는 괴기스럽기까지 하여 소름이 끼쳤다.
〈존스박사, 이 소리가 도대체 무엇이라고 생각하는가? 엄청난 숫자의 새들이 이 안에서 살고 있단 말인가?〉
존스박사도 얼굴표정에서 어떤 감도 잡지 못하고 있는 듯했다.
〈글쎄……, 하지만 새들 특유의 지저귐은 전혀 없는 것으로 보아 새들이라고 단정 짓기에는 좀……〉
그리고는 나에게 통역해줄 것을 부탁하고는 바로 사내에게 질문을 했다.
〈보름달이 뜨는 소리라고요?〉
〈네, 보름달이 뜨는 소리입니다.〉
사내에 이 말에 잠시 생각을 하던 그는 나를 쳐다보며 말했다.
〈이 관을 타고 아래로 내려 가 봐야겠습니다.〉
〈뭐라고? 이 어두운 밤중에? 그리고 뭐가 이 아래에 있을지는 알 수 없지 않은가? 내일 낮에 탐사하는 것이 좋겠네.〉
〈어차피 배수관속은 낮에도 어두울 것입니다. 그리고 보름달이 뜨는 소리라는 것을 미루어 볼 때 이 소리는 밤에 보름달이 뜰 때만 들린다는 이야기 아닙니까?〉
그의 말은 일리가 있었다. 하지만 위험을 감내해야하는 부담이 있었다.

한편으로는 그도 나도 '왜일까?'에 대한 불면의 밤을 보낸 동병상련의 사람들이라 열쇠를 풀고 싶은 충동은 서로 통하고 있는 듯했다.

나는 잠시 갈등을 하다가, 일행 중 한 명에게 장님사내를 데리고 성을 내려가도록 명령하고 나머지 3명과 배수관속으로 내려가기로 결정했다.

모두들 하나씩 손전등을 챙기고 존스박사서부터 배수관 안으로 들어가 관을 따라 아래로 내려갔다. 한 명씩 차례로 미끄러져 내려갔다. 관은 직각이 아니라 비스듬히 설계된듯하여 내려갈 때의 가속도는 그리 강하지 않았다. 하지만 새들인지 뭔지 알 수 없는 것들이 '퍼더덕' 거리는 소리는 심장을 쪼그라들게 할 만큼 크게 들리고 있었다.

관을 타고 손전등에 의지하여 어두운 공간을 꽤 내려갔다고 여겼을 때 모두들 파도소리를 들었다.

제일 먼저 내려간 존스박사의 착지 소리가 크게 관을 통해 들려왔다.

〈첨벙!〉

'앗! 아래가 물이구나' 뇌리를 스치는 순간 나 역시 차가운 물에 착지 했다.

모두들 무사히 착지에 성공했고 허리까지 물이 차올라있었다.

다음순간 모두는 눈앞에 펼쳐지는 광경에 숨이 멎는 듯했다.

우리가 내려간 장소는 망망대해 바다 같은 장소였다.

거대한 보름달이 하늘 위에 솟아 비치고 있었고 그 보름달의 빛을 받아 수 백 만 마리의 물고기들이 비늘을 반짝거리며 날고 있었다.

정확히 날고 있었다.

수 백 만 마리의 물고기들은 일제히 우리가 서 있는 장소를 중심으로 두 개의 조로 나뉘어 있는 것처럼 반대 방향으로 커다란 양쪽 지느러미를 파닥거리며 날아서 마치 물을 지어 나르는듯한 양상으로 달빛을 받아 반짝거리며 물길을 갈라놓고 있었다. 수 백 만 마리의 물고기들의 비늘에서 반사되는 달빛으로 하여 장관을 이루었다.

이윽고 물은 차츰 줄어들고 물이 갈라져 버린 곳으로 길이 나타났는데 모래에 마치 금가루가 섞인 듯 길이 반짝거렸다.

〈사금이네!〉

나는 바닥의 모래를 들어 올려 달빛에 비추어 보며 그 많은 양의 금으로 벽화를 그린 이유를 알겠다는 듯이 존스박사에게 외쳤다.

존스박사는 얼굴이 사색이 되어 앞을 응시하고 있었다.

눈앞의 펼쳐진 광경은 그가 살아왔던 어떤 경험에서도 얻지 못한 낯설고 두려움으로 온몸이 떨리는 그런 광경들이었다. 하지만 그는 마음을 가라앉히려 무던히 애를 쓰며 조심스럽게 살피기 시작했다.

저 멀리에는 거대한 산이 달빛에 비치어 보였는데 그것은 산이라기보다는 거대한 피라미드에 가까웠다.

피라미드의 중간에는 계단이 정확히 꼭대기까지 이어져 있었다. 그 꼭대기에는 빛나는 나무 한그루가 나뭇가지를 늘어뜨리고 서 있었는데 그 빛의 나무에는 벚꽃 같은 빛나는 꽃들이 흐드러지게 빛을 내며 피어 있었고 일부의 반짝이는 꽃잎들은 마치 민들레의 홀씨가 날리듯 공중으로 날아 올라가서 흩어지더니 공기 속으로 사라져 버리고 있는 것이었다.

세상에 태어나서 이런 광경은 처음이었다.
〈마치……, 꿈 속 같아.〉
나도 모르게 중얼거렸다.
빛나는 빛의 나무 밑동에는 무언가 붉은 것이 움직이는 듯 보였는데 자세히 보니까 그것은 거대한 붉은 뱀이었다.
〈뱀……, 뱀이다!〉
일행 중의 한명이 놀라서 소리쳤다.
거대한 붉은 뱀은 빛의 나무 밑동에서부터 나무를 따라 꼬여 올라가 커다란 머리를 이리 저리 천천히 흔들고 있었다.
눈앞은 파도가 거의 갈라져서 정확히 일행들의 앞쪽으로 마치 어서 지나가라는 듯 기다랗고 반짝이는 황금의 길을 만들어 내었다.
뒤이어 바다위로 뛰어 올라서 이리저리 날아다니던 물고기들이 이내 물속으로 사라져 버리면서 주변은 고요해지고 간간히 잔잔한 파도소리만이 들렸다.
'달이 뜨면 환상의 섬으로 가는 길이 나타난다.'는 달의성 계곡의 전설이 우리 눈앞에서 생생히 펼쳐지고 있었다.
일행들은 거대한 산, 아니 거대한 피라미드를 향해서 난 황금의 길을 따라 움직였다.
나는 얼이 나가 있는 모두들에게 조심할 것을 경고하고 마치 꿈속을 걷는 이해할 수 없는 이 몽환적인 달빛의 달의성 계곡으로 걸어갔다.
우리가 앞으로 이동할수록 거대한 피라미드의 앞쪽에 서서히 검은색의 물체가 달빛에 비치어 눈에 띠기 시작했다.
다가갈수록 그 위용을 드러내는 검은 물체는 거대한 사원이었다.
어른의 키에 열배는 될 것 같은 높이에다가 사각으로 잘 깎아진 돌기둥들이 모습을 드러내기 시작했다.

검은색의 돌로 만들어 진 사원은 둥근 모양으로 배열된 모습이 흡사 영국의 스톤헨지의 유적지를 떠올리게 했다.

거대한 기둥이 적당한 간격을 두고 두 개씩 쌍을 이루어 위의 돌을 받치고 있는 형식으로 둥근모양의 아름답고 거대한 사원 이었다.

사원의 앞쪽 입구에 다다르자 검은색 돌로 된 계단이 나왔고 양 계단에는 거대한 두 개의 똑같은 석상이 양 옆으로 서 있었다. 그 크기는 어른 키의 다섯 배는 되어 보였다.

모두들 긴장된 모습으로 석상 앞에 멈춰 섰다.

그 석상의 얼굴은 필시 악마의 모습을 하고 있었다.

〈존스박사, 이곳은 악마를 숭배하는 사원인 것 같네.〉

나도 이런 저런 경험을 했다면 한 사람이지만 두려움에 간이 콩알만 해져 있었다.

악마의 사원이라면 어쩐지 꺼려지는 것은 당연한 일이 아닌가?

하지만 역시 존스박사는 전문가다운 침착함을 잃지 않았다.

〈제 생각은 아마 수호의 의미인 듯합니다. 저 악마의 신들은 이 사원을 지키는 일을 하는 신들일 겁니다. 대개 현재 알려진 동양의 악마 신인 라바나신이나 치우신등은 집 앞에 그 석상을 두거나 지붕위에 얼굴상을 장식하여 잡귀를 쫓는 수호신으로 사용되고 있지요. 하지만 흥미로운 것은 바로 라바나신은 시바신으로부터 초능력을 얻기 위해 락샤스탈 호수를 만들었는데 그 이유 때문에 그 호수가 악마의 호수가 된 것입니다. 그리고 저 석상은 바로 그 악마의 신 석상인 듯하군요.〉

〈그렇다면 존스 박사, 우리가 의문을 갖던 그 락샤스탈 호수의 수수께끼에 한 발 다가 선 것인가?〉

달빛에 비친 존스박사의 얼굴은 긴장된 모습이었지만 강하게 고개를 끄덕이는 모습에서 그 역시 나와 같은 벅찬 느낌이라는 걸 느낄 수 있었다.

나는 계단 아래쪽에 찰랑거리고 있는 바닷물을 두 손 가득히 퍼서 마셔 보았다. 그 광경을 존스박사와 일행은 호기심어린 눈빛으로 나를 쳐다보았다.

〈앗! 락샤스탈 호수와 같은 물이네! 바닷물처럼 짠 것이 아니라 약간의 소금기를 머금은 물맛이야.〉

그렇다면 이 물은 지금 락샤스탈 호수와 연결 되어 있다는 것 아닌가?

일행은 조심스럽게 검은색의 돌로 쌓아 만든 계단을 오르기 시작했다. 계단의 보폭이 상당히 높게 설계되어 있었다. 일행들은 거의 등산을 하듯 계단을 기어서 올라갔다. 마치 거인들의 신전에 오르는 느낌이랄까.

계단의 숫자는 정확히 33개였다.

검은 돌로 만들어진 거대한 사원은 천정이 없었고 위를 쳐다보면 둥근 형태로 조성된 검은 돌의 둥근 원 너머에 우뚝 솟아 있는 흡사 카일라스 산을 인공으로 만들어 놓은 듯한 거대한 피라미드와 그 꼭대기에 빛나는 꽃잎을 흩날리고 있는 아름다운 빛의 꽃나무가 한 눈에 들어 왔다.

그리고 사원의 입구 맞은편 돌기둥에는 원모양의 거대한 금장식이 붙어 있었고 사원의 정 중앙에는 어른 3명의 키 높이로 수정처럼 보이는 육각기둥의 투명하고도 거대한 보석이 세워져 있었다. 달빛을 받은 수정은 옅은 푸른 기운의 빛을 뿜어내고 있었다.

〈이건…… 이건…… 태양신을 모시는 사원인 것 같습니다! 그리고 저 거대한 수정을 보세요. 사원의 중심에 세워져 있습니다. 마치 우주의 중심인 카일라스 같군요. 그러고 보니 카일라스는 산스크리스트어로 수정을 의미합니다!〉

모두는 서로의 얼굴을 쳐다 볼 수밖에 없었다.

그리고 갑자기 빛의 나무의 거대한 뱀이 나무에서 떨어져 그 주변을 날기 시작했다.

〈박사님! 박사님! 뱀! 뱀이!〉

일행 중 한명이 소리를 질러댔다. 흥분해 두려움에 떨고 있는 일행을 존스박사는 다독여 조용히 하도록 명령하고는 조심스럽게 거대한 붉은 뱀의 행동을 주시했다.

〈호퍼박사님, 저 뱀을 잘 보십시오.〉

〈아니 저럴 수가……, 얼굴이 아까 그 악마의 신의 석상과 똑같지 않은가?〉

〈네. 동양의 용은 흡사 저런 모습입니다. 동양의 용은 뱀같이 길고 거대하며 악마의 신과 같은 얼굴을 가지고 있지요. 그리고 동양의 악마의 신 치우의 상징은 붉은 색이고 기록에 따르면 치우는 동이족이라고 알려져 있는데 활동무대는 바로 이곳 아리지역인 중국의 서남부 지역입니다.〉

〈동이족?〉

〈동이족은 동쪽 끝의 나라인 지금의 한반도 즉 조선(Korea)입니다. 그 곳의 거의 대부분의 오래된 가택들은 바로 저 얼굴을 흙으로 잘 구워서 지붕위에 올리는 풍습이 있습니다. 그리고 또 한 가지, 에덴동산의 꼭대기에 서 있는 선악과나무에서 이브를 꼬드겨 열매를 따게 한 뱀 역시 오늘날 사탄이란 이름으로 악마로 알려져

있습니다.〉

조선이라면 일본에서 중국으로 이동할 때 나 역시 잠시 머문 적이 있는 나라였다. 하지만 그보다 나의 주의를 끈 것은 에덴동산에 관한 그의 말이었다. 그가 에덴동산의 위치에 대한 연구를 위해 여기까지 온 것을 알고 있는 나는 벅찬 감정을 느꼈다.

〈에덴…… 동산?〉

그때였다. 주변이 환해지기 시작했다.

모두들 동요하기 시작했는데 그것은 다시 물고기들이 날기 시작했기 때문이었다.

모두들 놀라서 바다의 상태를 살피려 돌아보았는데 또 수 백 만 마리의 물고기들이 날아올라 다시 바닷물로 황금 길을 덮어 가고 있었다. 그리고 먼 바다에서 동이 터오기 시작했다.

수 백 만 마리의 물고기가 지느러미로 내는 소리가 바닷물의 파도 소리와 어우러져 마치 경고를 하듯이 울려대기 시작했다.

〈박사님! 바닷물이 닫힙니다!〉

일행들은 놀라서 안절부절 못했다.

그때였다.

태양이 떠오르고 사원 중앙의 거대한 수정이 진동소리를 내기 시작했다.

〈우우웅……, 우우웅……, 우우웅……. 〉

깊고도 고요하며 낮은 진동소리는 눈앞에 보이는 세상의 모든 것을 울리고 있었다.

그 진동소리는 마치 깨달음을 얻은 것 같은 경이로운 경험이었다. 세상의 모든 만물이 나와 공명되어 나와 다른 존재가 아니라 같은 영혼의 떨림을 갖는 존재라는 것을 일깨워 주는 느낌! 바로 그것이었다.

너무나도 성스럽고 평안한 이런 울림을 나는 한 번도 들은 적이 없었다.

스승님이 말해주시던 깨달음이란 바로 이런 느낌일거란 생각을 했다.

이윽고 태양빛이 사원의 수정을 통과하는 순간 온 세상은 찬란한 오색빛깔의 물결로 일렁거렸다.

오색찬란한 빛이 세상을 물들인 그 황홀한 광경에 모두들 넋을 잃고 있었다. 오래전 핀란드로 여행했을 때 오로라를 본적이 있었다. 그 아름다움을 잊은 적이 없었지만 지금 눈앞에 펼쳐진 이 빛의 향연, 온통 세상을 빛으로 가득 채운 경이로운 아름다움에 비길 바가 아니었다.

하지만 모두들 점점 길로 덮쳐오는 바닷물을 의식하고는 정신을 차리고 급히 계단을 뛰어 내려 왔다. 그 후 황금의 길을 모두들 전력질주로 내달렸다.

우리가 내려온 관은 마치 끝없이 펼쳐진 바다위에 푸른 하늘 속에서부터 길게 내려온 것 같은 형상으로 우리를 기다리고 있었다. 일행이 헐떡대며 왕의 방의 상수도관에 다다랐을 때는 바닷물이 허리에 차올라 있었고 모두들 관을 잡고 매달려 관의 양 벽을 잡고 관을 타고 한 발짝씩 올라갔다.

정말 꿈을 꾼 것일까?

다음날, 설은 잠에서 깬 나는 현실과의 경계를 잃은 듯 멍했다. 그리고 곧바로 존스박사가 있는 막사로 달려가 그를 흔들어 깨웠다. 잠이 부족한 탓인지 존스박사는 일어나는 것을 힘들어 했으나 이내 무엇인가 떠올랐는지 자리를 박차고 일어났다.

지난밤의 그 모든 것들이 믿기지 않았던 나는 눈빛으로 존스박사에게 질문을 했다.

박사는 강하게 고개를 끄덕였다.

이럴 수가 꿈이 아니라 실재했던 사건이었다.

존스박사와 나는 더 이상의 '샴발라 찾기'를 덮기로 했다. 그것이 샴발라였던, 아니였던 그 자체는 이미 상관없었다. 우리는 현실적 경험의 경계에서 탐사의 무의미함과 그것의 연구자체 역시 무의미하다는 것을 서로 토로했으며 과학과 역사를 초월하는 이 경험에 대한 답은 현실의 차원을 넘어서는 신들의 차원의 것이었다.

그런 결론에 도달한 나는 그에게 사키아행을 유도했고 그 역시 동의했다.

그것은 스승님을 만나기 위해서였다.

이 모든 것에 대한 답변은 그 누구도 할 수 없을 거란 생각에 미치자 스승님을 만나야겠다는 생각이 들었다. 존스 박사 역시 이런 마법 같은 이야기를 학계에 섣불리 밝혔다가는 미친 사람 취급당하기 쉬울 거라고 말했다.

그는 티벳 불교의 대 스승인 나의 스승을 만나기를 간절히 바라고 있었다.

그는 이번 경험으로 전설의 악마신인 라바나와 치우에 대해서 그 둘은 큰 나라의 왕과 싸우다가 죽임을 당하여 망하게 된다는 신화적 내용의 동질성이 있다며 같은 인물일 가능성을 확신했다.

그리고 또 한 가지 그는 어느 역사서에도 그 존재가 없는 구게 왕국이 바로 그 치우의 후예들임이 틀림없다고 말했다. 바로 그들이 오랜 세월동안 그 곳의 결계를 수호해 온 것 같다는 것이다.

우리는 여러 경로를 거쳐 7일후 사키아에 당도할 수 있었다.

고산지대의 티벳 땅은 문명인의 손을 타지 않은 유일한 곳일 것이다.

20년 만에 돌아온 사키아였다. 하지만 알고 지냈던 지인의 담장의 돌까지도 모두가 그 자리 그대로였다.

그렇다하더라도 20년의 세월은 나의 스승을 그리고 나를 그냥 두지 않았다. 지금의 내 나이인 60세의 현명한 현자이셨던 나의 스승님은 이제 80세가 넘는 연로한 몸으로 허리가 잔뜩 구부러지고 얼굴에는 주름이 성성했다.

〈이렇게 오래 살고 있으니 너를 다시 보는 구나.〉

스승님은 나를 무척 반기셨지만 그의 또랑또랑하고 정확했던 목소리는 이제는 잔뜩 쉬어 있었고 거동도 젊은 승려의 도움을 받아야만 가능했다.

〈스승님!〉

나는 억겁을 두고 변하는 세상 속에서 단 20년 세월에 이렇듯 변한 스승님의 모습에 눈물이 왈칵 밀려왔다.

〈그래, 티벳에는 무슨 일로 왔느냐?〉

스승님은 내가 심상찮게 많은 일행을 거느린 것에 대뜸 이유를 물어 왔다.

〈스승님, 이 분은 종교고고학자인 미국인 마크존스 박사입니다.〉

나는 될 수만 있다면 대답을 회피하고자 존스박사를 소개했다.

〈스승님, 뵙고 싶었습니다.〉

존스박사는 무릎을 꿇어앉은 자세로 기다렸다는 듯이 말했다.

〈어찌하여 다 늙은 이 사람을 보고 싶었는가?〉

〈스승님, 존스박사와 저는 카일라스 산에 다녀왔습니다.〉

나의 이 말에 주름으로 쳐진 눈매를 껌뻑이시며 스승님은 되물었다.

〈그랬느냐? 그래 코라를 하였느냐?〉

〈네……, 그리고 자다지역의 구게 왕국을 다녀왔습니다.〉

〈구게 왕국이라……?〉

〈그렇습니다. 저희는 그곳에서 신의 영역을 보았습니다! 지하통로를 따라서 거대한 보름달이 떠 있는 끝없이 펼쳐진 바다의 한 가운데로 떨어졌습니다. 그곳에는 지느러미를 반짝이며 물고기 떼들이 날아올라서 그 바닷물을 갈라놓았고 사금이 깔려 있는 황금 길을 만들어 놓았습니다. 그 길을 지나 마치 성산 카일라스마냥 우뚝 솟아 있는 거대한 피라미드를 보았고 그 피라미드 앞쪽으로는 어마한 규모의 검은 돌로 지어진 신전을 보았습니다. 그리고 반짝이는 꽃잎을 흩날리는 빛나는 꽃의 나무가 피라미드의 꼭대기에 서 있었는데 그 나무를 붉은 용이 휘감고 있었습니다. 해가 떠오르자 그 붉은 용이 날기 시작했고 신전 중앙의 거대한 수정이 햇빛을 받자 성스러운 진동을 울리며 온 세상을 온통 오색의 빛으로 물들이는 것이었습니다.〉

내가 궁금함을 참지 못하고 숨 돌릴 새 없이 급한 마음으로 전한 이야기를 듣고 있던 스승님은 천천히 눈을 감으면 물어 왔다.

〈그 곳은 무엇 하러 갔던 것이냐?〉

〈…….〉

나는 선뜻 대답을 할 수 없었다.

〈무엇하러 갔었던 것이냐?〉

스승님은 똑같은 어조로 다시 한 번 물어 오셨다.

〈샴발라를…… 찾으러 갔었습니다.〉

그 말에 스승님은 감은 눈을 뜨시고 나를 바라보았다.

〈샴발라? 샴발라는 인간의 눈으로는 볼 수 없는 다른 차원의 장소. 어찌하여 그 곳을 찾아 나섰던 것이냐?〉

〈…….〉

스승님은 침착한 어조로 물어 왔지만 나의 마음은 커다란 죄를 지은 것처럼 동요가 일어났다.

나와 스승간의 대화내용을 알 수는 없었으나 존스박사는 흥미롭게 조용히 지켜보고 있었다.

〈'사자의…… 서'를 찾기 위해서입니다.〉

〈'사자의 서'라?〉

〈네……, 스승님.〉

〈그래서 '사자의 서'를 구하였느냐?〉

스승님은 여전히 동요됨이 없었다.

〈아닙니다. 찾지 못했습니다. 하지만 삼발라는 찾은 것 같습니다. 하지만 '사자의 서'는 찾지 못했습니다.〉

반면, 나는 스승님 앞에서 허둥대고 있었다.

〈너는 찾고자 하는 것에 반대편으로 갔구나.〉

이 말에 나는 놀라며 스승님의 말꼬리를 붙잡았다.

〈반대편이라니요?〉

〈'사자의 서'가 죽은 것들의 장소라면 너희가 간 곳은 새 생명들의 장소이니라.〉

〈네?!〉

내가 통역한 이야기를 듣고 존스박사와 나는 멍할 따름이었다.

〈너희가 본 것은 생명의 나무이니라. 그 생명의 나무는 세상천지를 뒤덮는 생명들의 영혼이 태어나는 나무이지. 너희가 본 오색의 빛들이 춤추는 세상은 신의 눈을 통해 본 세상이니라. 신의 눈에는 물질로 넘쳐나는 세상이 아니라 오색의 빛들이 가득한 것으로 보이는 것이니라. 우리가 보는 물질의 세상이란 단지 우리의 의식이 빚어낸 공유된 환상에 지나지 않는다면 믿어지겠느냐?〉
〈그렇다면 우리가 본 것은 도대체 무엇이란 말입니까?〉

〈너희가 본 것은 지구의 자궁을 본 것이다. 지구상에 존재하는 생명탄생의 근원이 되는 곳이지. 그리고 너희가 나무에서 본 빛들은 새 생명의 영들을 본 것이다.〉

나는 아직 스승님의 말이 이해가 가지 않았다.
〈스승님, 그러면 그 나무의 붉은 용은 무엇입니까?〉
〈이렇게까지 천기누설을 한 나인데 무엇을 더 말하지 못하겠느냐. 이미 너희들이 눈으로 본 것이니 말해 주겠다. '사자의 서'를 지키는 수호신은 불의 백호이며 어머니의 자궁인 '수메르'를 지키는 수호신은 불의 용이니라.〉
수호신에 무게를 두었던 존스박사의 말이 옳았던 것이었다.
잠시 스승님은 생각에 잠기시더니 말을 이어 나갔다.
〈너희는 세상에서 가장 높은 산지를 가진 히말라야와 티벳의 주변 지역, 인도 지역까지 모두 왜 사람들이 종교적인 삶을 영위한다고 생각하느냐? 이곳은 오랜 세월부터 이 지구상의 생명의 탄생과 생명의 사멸을 다스리는 신의 영역이기 때문이니라. 즉 생명의 시작과 끝, 생명의 창조와 파괴의 수레바퀴 지역이기 때문이니라.〉
〈그렇다면 '사자의 서'도 또한 이 지역에 있는 것입니까?〉

내가 다그쳐 물었다.

〈너희가 보지 말아야할 신의 영역을 본 것이 우연한 사건이라고 생각하느냐? 아니다. 모두가 신의 계획으로 예정된 일이니라.〉

〈예정된 일?〉

〈'사자의 서'는 머지않은 시일에 찾을 것이다. 그것은 예정된 일이니라. 그리고 그 시기가 얼마 남지 않았구나. 너희가 수메르의 생명의 나무를 보았다면 이제 때가 다가오고 있는 것이니라.〉

〈때라니요? 무슨 때를 의미하시는 것입니까? 예전에 스승님이 말했던 모든 사람들이 깨달음을 얻게 되는 그 때 말입니까? 바로 신세계말입니까?〉

〈굳이 인간사로 따지자면 그럴 테지. 하지만 이것은 인간사에 관한 것이 아니라 신에 관한 일이니라. 인간이 알 수도 없고 인간이 알아도 어쩔 수 없는 신들의 일이니라. 하지만 머지않은 미래에 때가 오겠구나. 그때가 되면 신들이 예정한 계획에 따라 예정된 인물이 예정된 일을 하게 될 것이다.〉

〈'사자의 서'는 어디에 있는 것입니까?〉

〈'사자의 서'가 어디에 있는 지 궁금하느냐? 하지만 '사자의 서'의 일부를 가져간 세계제왕은 그것을 되돌려 놓지 않았느니라.〉

〈예? 세계제왕이 아직 '사자의 서'를 되돌려 놓지 않았다구요?〉

〈그렇다. 하지만 이제 '사자의 서'는 다시 합쳐지기를 원하고 있지. 때가 되었거든.〉

〈그렇다면 이제 우리는 어떻게 해야 합니까? 수메르의 생명의 나무에 대해 세상에 밝혀야 합니까? 그리고 그 신들의 예정된 때에 관해서도? 〉

〈그것은 그대들 마음이지. 이 세상의 만물들이 원하는 대로 될 것이네. 그대들은 그대들의 인생을 살게. 그대들이 무얼 하든 세상과

공명한다면 그것은 세상이 원하는 일이네.〉
이번엔 듣고만 있던 존스박사가 끼어들었다.
〈도대체 세상이 원하는 것이란 무엇입니까?〉
〈그것은 인간의 가치판단기준에 의해 만들어진 선과 악과는 전혀 무관한 것이지. 선한 것과 악한 것은 인간의 이익과 부합하느냐 아니냐에 따라 인간이 만들어 낸 것이니라. 신의 세상에는 애초에 선과 악이란 존재치 않느니라.〉
그리고 스승님은 깊고 의미심장한, 할 이야기가 많은 눈빛으로 나를 가만히 바라보시며 한참을 계시었다. 나는 그 눈빛으로 인해 침묵을 지키며 스승님의 말씀을 기다렸다.
스승님은 고개를 돌려 바깥에서 기다리고 있는 팀의 일행들 사이에 우뚝 펄럭이고 있는 나치당의 상징인 '사자의 서'의 깃발을 바라보면서 잠시간의 숨 막힐 듯한 고요를 깨셨다.

〈환란 속에서 펄럭이는 '사자의 서'의 깃발이 보이는 구나…….〉

〈네?!〉
나는 스승님의 예지력에 피부표피가 오싹해옴을 느꼈다.
〈어찌하여 물질적 우월함이 백인의 우월함이 되었느냐? 신과 일치된 파동을 초점으로 정신적 삶을 영위해온 그대들의 식민지에 물질적 욕심이라는 괴질을 가져와 정신적 미개함을 전파함이 과연 문명이란 말인가?〉
〈네?!〉
더욱더 알 수 없는 난해한 스승님의 말에 나는 다시 반문하는 것 외에는 할 말이 없었다.
〈그대들이 그토록 집착하는 물질세계란 그대들의 의식이 그려낸 환상에 지나지 않는 것이다. 그대들이 미개사회라 말하는 그 식민지의 인간들은 수 천 년 간 신들의 언어와 의사결정의 제일 밑바닥 파동과 조우하는 방법을 연구하고 찾았지. 더 늦기 전에 그대들이 미개하다고, 열등하다고 생각하는 그들의 정신문화를 배우거라. 모든 것은 마음에서 일어나는 일임을 잊지 말아야 하느니라.〉

그리고 옆에 있는 승려에게 부축할 것을 종용하고 방을 나가셨다. 그 이후로 내가 사키아를 떠날 때까지 다시 나를 만나주지 않으셨다. 나와 존스박사는 스승님의 말을 다시 생각해 보아도 그 의미를 정확히 깨닫지 못했다.

스승님과의 대화로 알 수 없는 신의 뜻에 대한 의구심만 안은 채 원정대는 독일로 귀국했다.

미국의 존스박사는 연구를 계속하기 위해 당분간 티벳에 남겠다고 했다. 후에 그는 샴발라에 대한 연구를 책으로 출판하기도 했다.

독일로 귀국한 후 나의 인드라작전 보고서는 히틀러를 더욱 다급하게 만든 듯했다.

그리고 나는 보고서에서 달의성 계곡에서의 신의 영역에 관한 보고는 하지 않았으며, '사자의 서'가 징기스칸의 무덤에 있을 가능성에 대해서 초점을 맞추었다.

샴발라나 '사자의 서'의 존재유무와 상관없이 나의 제왕인 히틀러는 승승장구를 거듭하였다. 나는 점점 더 그가 신세계제왕이라는 확신을 굳혀 나갔고 스승님에게서 들은 신들의 영역과 예정된 계획에 대한 것들, 그리고 문명의 미개함에 대해 논했던 말씀들은 나에게 있어 더 이상 중요한 사안이 아니었다.

제2장. 제왕을 꿈꾸는 자 3

3. 제왕의 무덤

1945년 1월 17일 새벽

서늘한 공기가 늦은 밤시간의 죽음의 도시사이로 불어들고 있었다. 전쟁 중이라는 사실이 믿어지지 않을 만큼 무덤 속과 같은 적막함으로 베를린은 그 공간과 시간이 부재인 도시가 되어가고 있었다.

나의 신세계제왕의 전쟁은 종점을 향해 서서히 추락하고 있었다.

나는, 내가 원했던 것은 무엇인가?

오늘에 와서 나는 그 모든 의미와 전의를 상실했다.

무엇이든 가능하리라는 나의 극단적인 생각들은 이제는 나 개인의 숨을 쉬는 것조차도 불가능한 듯 힘겹게만 느껴졌다.

늦은 시간에 요청했던 총통과의 면담은 수락되었다. 히틀러는 폭탄 암살 기도 사건이후 거의 몇 달째 자신의 관저가 아닌 이곳 청사에서 기거하고 있었다.

그는 서부전선에서 연합군과 최후의 결전을 치르고 어제 베를린으로 복귀했다. 그 결과는 참혹한 패배의 연속이었다.

전쟁 통이라 붐비고 바쁠 것 같은 청사의 내부는 조용하였다. 새벽이 가까운 시간에도 언제나 철통보안을 유지하던 청사가 오늘은 비서도 퇴근한 상태인지 비서실내부에는 아무도 없었고 항상 그림자처럼 총통의 곁을 따라다니던 건장한 경호군인들조차 보이지 않았다.

'똑똑'

나의 노크소리만이 냉랭한 공기속의 정적을 깨고 있었다.

〈네.〉

안에서는 짧은 그의 목소리가 들렸다.

문을 열고 안쪽으로 들어서자 등을 돌리고 벽에다가 커다란 그림을 걸고 있는 히틀러를 볼 수 있었다.

의자에 올라서서 자신의 직무실 책상 맞은 편 벽에다가 이리저리 그림틀의 균형을 맞추며 올바르게 그림이 걸렸는지 살피고 있었다. 그리고 아무렇지도 않게 그는 나에게 물어 왔다.

〈호퍼박사님, 그림이 제대로 걸렸습니까? 비뚤게 보이지 않습니까?〉

〈아……, 어어…….〉

이런 순간에 정말 의외의 그의 행동에 약간 당혹스러운 감정을 느끼며 일상적인 대화인양 맞받아서 나는 대답했다.

그림에는 검은색의 수도사 복장을 한 노인이 의자에 앉아 책인지 성경인지를 읽고 있고 아름다운 하얀 털이 풍성한 큰 날개를 가진 한 소녀천사가 한 손은 턱을 괴고 다른 한 손은 노인의 손위에 손가락을 얹고는 무언가 조언을 해주는 평안하고 사랑스러운 그림이었다.

그는 만족스러운 듯이 의자에서 내려와 나에게 다가오며 말했다.

〈어떻습니까? 저 그림은 '성 마태와 천사'입니다. 정말 성스러운 그림이지 않습니까?〉

그의 질문에 나는 이번에는 일상적인 대화인 척할 마음이 내키지 않아 침묵을 지켰다. 그런 나를 그는 가만히 쳐다보고 있다가 다시 말을 이었다.

〈이 곳이 산산조각이 나더라도 이곳을 성스럽게 해주기에 충분하

지 않습니까?〉

이번에는 내가 그의 얼굴을 쳐다보았다.

그는 이미 느끼고 있는 것일까?

더 이상 계속 이끌 승산이 없는 이 전쟁을 그냥 '이제 그만 합시다'라고 말할 수 없는 걸까?

그는 절대 항복하지 않을 것이라는 것을 나는 그때 느낄 수 있었다.

나를 빤히 쳐다보던 그는 웃으며 말했다.

〈사람들은 나를 미치광이 살인마로 기억하겠죠? 아니면 악마의 화신? 졸렬한 독재자?〉

〈전쟁에서 패한…… 황제는 역사적 비판과 책임에서 자유로울 수 없네. 카이저 황제를 보지 않았던가? 그 이후의 독일제국을 알지 않던가?〉

나는 그에게 차갑게 대답했다.

나의 이 말이 그의 마음에 다소 상처를 주었는지 그는 두 눈을 커다랗게 뜨고 잠시 공황상태에 빠진 듯 말을 잇지 못하고 있었다.

그의 이런 모습을 보는 것은 나로서는 고통스러웠다. 그리고 나는 더욱더 고통스러운 마음으로 그에게 말을 꺼냈다.

〈내 아들을 어쩔 셈인가?〉

나의 말에 그는 화가 난 듯이 나를 쏘아보며 소리쳤다.

〈그가 이제 나의 일을 안 하겠다지 않습니까?! 그리고 나의 암살과 관련된 배신자들과 어울린 증거를 게슈타포가 입수했습니다! 이것은 제국에 대한 그리고 나에 대한 배신행위입니다!〉

〈무슨 소리를 하는가!? 그 애가 자넬 위해 지난날 충성스럽게 일했던 것을 잊었는가? 그 애는 영국과 독일과의 비밀 평화협정을 위해 정말 충직하게 일했네!〉

나는 얼굴을 일그러뜨리며 고통스러운 마음과 울분으로 그에게 호소했다. 그리고 그 순간 나는 곁에 루돌프 헤스의 부재를 뼈저리게 느꼈다.

나는 얼굴을 냉랭하게 굳히고 말을 이어 나갔다.

〈루돌프가 있었다면 자네가 내 아들에게 이렇게 까지는 하지 않았겠지.〉

그는 그 이름을 듣는 순간 의자에 털썩 주저앉으며 시선을 떨구었다.

〈그가 나를 위해 몸 바쳐 충성한 것은 잊지 않았습니다. 하지만 비밀특사로서 그의 임무는 실패입니다. 그리고 그가 가져갔던 나의 비밀 협정 제안서 역시 영국은 철저히 외면했습니다. 영국이 나와 손만 잡았더라면 지금쯤 전세는 반대로 바뀌었겠지요.〉

〈소련과 전쟁을 시작하면 무조건 영국이 독일을 도울 거라던 자네의 계산을 많은 참모들이 반대했었네. 그렇지 않았던가? 역시 선택은 자네가 한 거네.〉

〈네네네, 그렇지요. 쳇…… 영국이 공산주의자들과 연합할 리 없다고 계산한 것은 저의 잘못입니다. 네네네! 그러니 제가 책임을 져야겠지요. 그러기 위해서는 아드님을 설득해주셔야 겠어요. 그는 내 마지막 보류거든요!〉

히틀러는 이마에 핏대를 세우며 나를 죽일 듯 쏘아 보며 말했다.

나는 물에 빠진 이의 마지막 발버둥 같은 그의 모습에 마음이 어두워졌다. 그는 무엇이든 할 것이다.

〈그 애는 할 만큼 했다고 생각하네. 하지만 이제 이런 전쟁 상황에서 그 애가 할 수 있는 일이 무엇이 있겠는가?〉

〈영국과 미국에 대해 비밀 협약 체결에 나서줘야겠어요. 더 이상 나의 요구를 거절하면 그에게는 사형 집행만이 기다리고 있을 것

입니다.〉

전쟁의 패색이 짙어가는 그 무렵에 그것이 그가 할 수 있는 마지막 외교노력이었겠지만 나의 아들은 결국 끝까지 그의 요청을 거절했고 나 역시 아들을 설득하는 것을 실패했다.
나의 아들 알프레드는 이미 히틀러에 대해 커다란 딜레마와 염증을 느끼고 있었으며 오히려 그를 위해 일해 온 지난 과거를 후회하고 있는 상태였다.
반쪽 유태인인 나의 아들은 히틀러의 반유태인 정책들에도 불구하고 나찌즘에 대한 그리고 독일 우호세력에 대한 외교적 노력에 그 아이의 젊은 날을 모두 바쳤다. 하지만 결국은 히틀러의 광적인 인종청소와 심지어 병자들은 사회의 악이라며 모두 처단하는 그의 비인간성에 마음이 돌아선지 꽤 오래였다. 아니 정확히는 히틀러의 비밀 평화 협정서를 가지고 떠난 루돌프 헤스의 영국행 단독비행 이후인 것 같았다.

결국 평화 외교 협약의 마지막 열쇠였던 나의 아들은 1945년 4월 23일 전쟁의 종결 직전에 처형되었다.

나는 나의 인생을 걸어 새로운 신세계의 제왕을 세우고 무너진 독일을 새로이 세우는 제국을 건설하기 위해 히틀러를 추종하고 그에게 제왕에의 의지를 심었지만 그 댓가로 나 역시 내 인생에서 가장 소중한 것을 내어 놓아야만 했다.
알프레드의 동생이 시신을 집으로 운반해 왔고 그 날 아내는 울다가 두 번 실신을 하였다.

나와 그의 이 무거운 카르마는 결코 거기서 끝나지는 않았다.

수 십 차례 이루어 졌던 베를린 시내의 연합군 폭격으로 나는 집안 식구 모두를 지하 서재로 내려 보냈다. 연합군의 폭격이 20일 이후에는 잠잠해진 것으로 보아 곧 그들의 지상군 투입을 예상해서였다.

1945년 4월 25일 새벽 시간, 나는 두 명의 독일군의 방문을 받았다. 그들은 정중하게 나를 모셔가려 왔다고 말했지만 그들의 손에 들린 권총은 협박과 강제임을 보여주고 있었다.

베를린 시내 외곽에는 간간히 연합군과의 교전 소리가 들려왔고 그들은 나를 보호하며 총통청사로 안내해 갔다.

총통청사건물은 폭격에 의해 여기저기가 파괴된 모습이었다.

그리고 나는 아무런 영문도 모른 채 어두운 지하 벙커에 오랜 시간 갇혀 있었다. 내가 감자스프를 가져다주는 군인에게 이유를 물어보자, 그는 자신도 알지 못하고 단지 총통의 명령이라고만 짧게 답했다.

지하 벙커 안이었지만 밖에서 대포 소리가 시간이 흐름에 따라 점점 커져가고 있었다.

그리고 얼마간이 지났는지 모르겠지만 나에게 있어 세상에 태어나서 가장 긴 시간을 보낸 후, 벙커 안에 두 명의 군인이 들이 닥쳤다.

그들은 무슨 일인지 모르지만 상당히 서두르고 있었다. 나는 작은 내실 등만이 켜진 좁은 벙커의 복도를 지나서 건물 지하의 복도 끝으로 끌려갔다. 그들은 벙커내부에서도 두리번거리며 경계를 하는 눈치였다.
벙커의 복도 끝은 벙커내부에서도 더 지하로 내려 갈 수 있도록 설계된 곳이었다. 사람들이 내려갈 만큼 작은 구멍이 나 있었고 천정과 연결된 철재 봉을 타고 한 군인이 구멍 아래로 내려갔고 뒤이어 내가, 다음에는 다른 한 명의 군인이 내려갔다.
한 층 정도의 높이를 철재봉으로 내려와 도달한 곳은 벙커라고 하기에는 좀 넓은 장소였다. 그곳에서 나의 지독한 카르마인 히틀러와 마주할 수 있었다. 이미 미움도 증오도 그 해답을 알 수 없는 카르마에 무릎을 꿇고 순응하는 것 외에는 아무런 선택의 의지가 없었다. 다만 그와의 인연이 이것으로 끝이길 바랬다.

나는 나의 죽음을 예감하고 있었다. 아니, 바랬다는 것이 옳았다.

눈길을 돌려 살펴본 내부는 상위층에서부터 희미하게 빛이 새어 들어와서 커다란 굴뚝같은 구조인 안을 밝히고 있었다. 오랜 시간 어두운 공간에 있었던 나는 약간의 눈부심으로도 시력확보에 어려움이 있었다.
곧이어 나의 눈에 들어온 것은 기괴한 모습의 비행체였다. 그것은 굴뚝 내부에 걸쳐 우뚝 솟아 있었고 굴뚝을 통해서 충분히 밖으로 나갈 만큼의 자리를 구축하고 있었다. 비행체의 모양이 길쭉하니 바나나처럼 길게 걸쳐 있는 것이 마치 로켓을 세워 놓은 듯했다.

〈호퍼 박사님! 길게 설명하지 않겠습니다. 어서 탑승하시지요.〉
나 이외에 공군대령 발터 도른베르거가 와 있었다. 나는 그와 어느 때인지 모르겠으나 독일 나치당 전당대회에서 인사를 나눈 적이 있었고 그는 나에게 발터라고 부르라고 말했던 인물이었다. 그는 군인이자 로켓 개발 과학자였다. 그런데 의외의 장소에서 그를 다시 보게 된 것이었다.

그는 머리로 살짝 인사를 건네고 긴장된 모습으로 재촉하고 있었다.

발터가 먼저 길쭉한 비행체 외부에 작게 붙어있는 철재 계단을 기어 올라가서 조종석에 앉았다. 이윽고 히틀러와 내가 계단을 따라 올라갔다. 나머지 두 명의 군인은 아래에서 '하일 히틀러'를 외치며 경례를 하였다. 그 후 군인들은 서둘러 철재문을 통해 방밖으로 사라졌다.

〈설마 이것으로 비행을 하려 하는 것인가?〉

나는 긴장감을 감추려고 애를 쓰며 히틀러에게 물었다.

히틀러는 비행체의 둥근 유리 창문의 손잡이를 잡고 힘겹게 당기어 닫으면서 말했다.

〈이 비행기는 수직 이착륙용으로 특수 제작되어 실험도 여러 번 거친 안전한 비행체입니다.〉

앞서 탑승한 발터대령이 앞쪽 조종석에, 나와 히틀러가 뒤쪽에 자리를 잡고 앉았다.

비행체는 굉음을 내며 위쪽 머리 부분의 프로펠러가 돌아가기 시작했다. 그리고 아래 부분에서 커다란 폭발음이 들리더니 머리가 뒤로 재껴질 만큼의 강한 가속도를 부과하며 굴뚝의 위쪽으로 날아오르기 시작했다. 아마도 아래 부분은 강력한 추진 장치가 붙어있는 듯했다.

비행체는 위로 꽤 오래 수직상승을 계속 하였다. 한참을 날아올라 구름으로 아래가 가려져 안 보이는 위치쯤에서 비행체는 마치 일반 비행체 마냥 수직상승하던 구도를 서서히 가로 구도로 기울어지며 일반 비행기와 똑같은 방식으로 양쪽 날개로 날기 시작했다.

〈지금 어디로 가는 것인가?〉
나의 이 말에 히틀러는 무슨 생각인가 골몰해있는 상태인지 무표정한 얼굴로 말했다.
〈지금 어디로 가는가 보다 어떻게 이곳을 빠져 나가는가가 더 중요하다구요! 스탈린이 내 목을 가져가려고 눈앞에 까지 와 있단 말입니다. 내일 5월1일 볼세비키들의 명절인 노동절에 맞추어 청사를 칠겁니다.〉
〈다른 참모들은?〉
〈그들은 벙커에서 끝까지 항전할 것입니다.〉
그는 여전히 굳어진 무표정으로 일관하며 짧게 답했다.
비행기 방향 판의 바늘은 서쪽을 가리키고 있었다. 도대체 서쪽 어디로 간단 말인가?

1945년 4월 30일 오후 3시쯤의 독일 상공에서 나의 신세계제왕은 필사의 탈출을 감행했다.

나는 어디로 가는지, 왜 가는지 아무것도 물어 볼 의지가 생기지 않았다. 이미 운명은 하늘에 달려 있는 것이 아닌가? 단지 그 운명의 회오리에 휩쓸려 갈 뿐 내가 할 수 있는 것은 없었다.
우리의 탈출비행은 2시간을 지속했다. 실로 놀라운 비행기가 아니던가? 그는 무기와 비행체나 병기 등에 대한 상상력을 발휘하여 독일 최고의 기술자들에게 자신만의 판타지에 걸맞은 것들을 만들어 내게 하곤 했다. 하지만 총통의 판타지적 요구는 기술자들과 과학자들에게는 영감과 추진력을 주는 원동력이었는가 보다. 이렇듯 획기적인 비행체는 본 적이 없었다.
비가 내리기 시작하였다.

비행체가 2시간 남짓의 비행을 멈추고 서서히 낙하하면서 아래쪽 추진 장치의 커다란 굉음과 함께 세로형 비행자세를 잡고 있었다.

밖에는 육지가 보였다. 푸르른 기운을 머금은 육지에는 군데군데 눈이 녹지 않고 남아 있었다.

비행체는 서서히 추진 장치에 점화를 가속화하고 착륙을 시도하고 있었다. 가까이에서 본 육지는 거의 불모지에 가까웠고 사람 그림자 하나 볼 수 없었다.

〈이곳은 어디인가?〉

〈덴마크령의 아이슬랜드섬 회픈에서 남쪽으로 좀 떨어진 곳입니다.〉

내내 얼굴을 굳히고 침묵하던 히틀러가 말했다.

〈아이슬랜드? 아니 이 비행기가 이렇게 먼 곳까지 비행을 했단 말인가?〉

〈대단하죠? 제가 특별히 심혈을 기울여 이런 일에 대비해 준비한 겁니다. 항속거리가 1500km에다가 시속 700km는 거뜬합니다. 조금만 더 있었으면 소련 놈들의 저 우랄산맥을 넘는 건, 식은 죽 먹기보다 쉬웠을 텐데 말입니다.〉

그는 씁쓸하게 입가에 웃음을 띠더니 비행체에서 내릴 준비를 하였다. 그 사이 발터대령이 어디론가 무선을 치고 있었다.

〈내리시죠, 박사님! 이제부터 시작일 뿐입니다.〉

〈…….〉

나는 그의 무표정을 읽을 수가 없었다. 그는 완전히 패한 이 전쟁을 홀로 끝내지 못하고 있는 것일까?

나는 그들을 따라 나무 한 그루 없는 푸른 들녘을 걸었다. 한참을 걸어가다 뒤돌아보니 우리가 타고 온 비행기만이 이정표마냥 서 있었다. 마치 지구가 아닌 다른 행성의 표면을 걷고 있는 듯했다.

이윽고 우리는 바위들이 많은 해안가에 다다랐다. 바위들에는 마치 금방 땅에서 마그마가 빚어낸 듯한 선명한 단층들이 새겨져 있었고 빙하에 의해서 생긴 전형적인 피요드르식 해안이었다.

해안가에 고무보트 한 대가 떠 있었다. 그곳에 기다리고 있던 병사가 우리를 발견하고는 손짓하며 서두를 것을 종용하고 있었다.

우리가 그에게 급히 서둘러 다가갔을 때, 그는 총통을 확인하고 긴장한 모습으로 '하일 히틀러'를 외쳤다.

〈모시게 되어 영광입니다. 총통각하! 근처의 미군기지에서 비행체를 감지했을 가능성이 많아서 서둘렀습니다!〉

〈알겠네.〉

마찬가지로 로마식 경례로 인사를 받은 그가 말했다.

그리고는 발터대령에게 갑자기 악수를 청하였다. 영문을 알지 못한 듯 발터대령은 두 손으로 그의 손을 감싸 잡았다.

〈수고했네. 자네와의 동행은 여기까지네.〉

〈네!? 총통각하, 저도 함께 가겠습니다!〉

발터대령은 의외의 그의 말에 놀라며 말했다.

〈여기서부터는 더 이상은 비행사는 필요 없다네. 어디든 몸을 피하고 살아있게. 그래서 꼭 다시 만나세.〉

그는 당부하듯 인사를 건네었다.

〈일단은 스위스로 망명해 있겠습니다.〉

비장한 얼굴로 말을 맺은 발터대령은 오른손을 올려 히틀러에게 마지막 경례를 했다.

나와 히틀러는 급히 보트에 올랐고 모터를 장착한 보트는 이내 불모지와 같은 푸른 광야의 섬 아일랜드에 발터대령만을 남기고 금세 멀어져 갔다.

모터보트는 섬에서 약간 떨어진 곳에 떠 있는 잠수함으로 향하여

가고 있었다. 천천히 잠수함으로 다가가자 잠수함 위에 서 있던 서너 명의 병사들이 일제히 '하일 히틀러'를 외쳤다.

잠수함은 외관상으로는 독일 해군의 상징이 될 만한 유보트의 마크나 번호도 적혀 있지 않았다. 겉으로 봐서는 독일 잠수함인지 적국의 잠수함인지 구분이 가질 않았다.

보트에서 내리자 함장인 듯한 사내가 히틀러의 손을 잡고 끌어올렸다.

〈모시게 되어 영광입니다. 총통각하! 한스 슈로더라고 합니다.〉

잠수함 안의 좁은 통로에는 20여명 남짓의 승무원들이 우리들을 맞이하고 있었다. 히틀러는 그들과 일일이 악수를 하였다.

좁은 잠수함의 내부는 어뢰위에 침대가 설치되어 있는 등 공간을 최소화하여 이용한 흔적이 여실히 남아 있었다.

잠수함의 조정실에 들어선 히틀러는 슈로더함장으로부터 보고를 받았다.

〈목표지점은 현재 위치에서 그린란드의 옆 근해를 지나서 스발바르 제도에서 조금 떨어진 북위84도 지역입니다. 현재 북극의 얼음이 북위 80도이상 지역에서는 3에서 4m가량 얼어 있는 상태이고 그 하부 쪽은 거대한 해령의 끝자락으로 추정되는 지역입니다. 이 해령은 오래된 바다지형에 해당되며 현재로서는 이 해령이 캐나다 북단까지 이어진 것으로 보입니다. 그리고 저희가 발견한 통로는 이 해령의 끝자락부분에 해당됩니다.〉

〈바이칼까지는 얼마나 걸리겠는가?〉

바이칼이라니?

나는 히틀러의 말에 놀라움을 금치 못했으나 잠자코 그들의 계획을 경청하였다.

〈7일정도 소요될 예정입니다. 현재 바이칼도 아직 얼음이 얼어 있는 상황이라서 얼음을 깨고 부상할 예정입니다. 다행스러운 것은 출입구부분의 얼음은 녹아 있거나 얇게 얼어 있어 위로 부상하는 데는 염려가 없을 듯합니다. 그리고 5월서부터는 얼음이 녹기 시작하므로 아예 알혼섬으로의 출입이 통제된다고 합니다. 배로도, 얼음 위의 차로로도 왕래가 불가능해 주민들은 일이 있으면 걸어서 다닌다고 보고 받았습니다.〉

바이칼이니, 통로니, 알혼섬이니 하는 알 수없는 이야기에 내가 참지 못하고 끼어들었다.

〈이보게 도대체 어디로 가는 것인가? 그리고 왜 가는 것인가?〉

나의 앞 뒤 가리지 않는 끼어듦에 히틀러는 잠시 생각하는 듯하더니 말을 이었다.

〈박사님, 박사님이 지난 1933년도 티벳을 다녀오신 후 그 탐사에 대해 저에게 보고하셨던 보고서 내용을 기억하십니까?〉

나는 그 때까지도 그의 질문에 핵심을 간파하지 못한 상태였다.

〈보고서에는 '사자의 서'의 행방에 관해 이렇게 쓰여 있었지요. 징기스칸은 아직 그 '사자의 서'를 가지고 있으며 만약 그것을 찾아야 한다면 그것은 징기스칸의 무덤이 될 것이다. 혹시 기억하고 계십니까?〉

나는 현기증이 밀려왔다.

〈그렇다면……, 지금 징기스칸의 무덤에라도 찾아 간다는 것인가?〉

나의 말에 히틀러는 오른쪽 입가의 입꼬리를 올리며 서늘한 미소를 보였다.

〈네, 맞습니다.〉

그의 말이 사실이라면 정말 이것은 고고학 사상 최고의 발견이 아닌가?

전쟁의 패배를 목전에 둔 총통이 세계제왕의 무덤을 발견하다!

기막힐 정도로 반어적인 이 사실은 과연 믿을만한 것인가?

〈어··· 어떻게······?〉

〈박사님의 보고서를 입수한 이후로 나는 또 다른 제3의 '인드라 작전'을 명령했죠. 물론 박사님이 잘 아시고 계시듯이 티벳 지역을 탐험해서 '사자의 서'를 찾는 작전도 계속적으로 진행을 하고 다른 팀들을 각각 몽골지역과 러시아 바이칼 지역으로 보냈지요. 그들의 임무는 다름이 아닌 징기스칸의 무덤을 찾는 것이었죠. 티벳에서 별 소득이 없었던 작전이었지만 바이칼로 보낸 팀에서는 성과를 보이기 시작한 겁니다.〉

〈그··· 그래서 바이칼에서 징기스칸의 무덤을 찾은 것인가?〉

〈하하, 그렇게 쉽지만은 않았습니다. 먼저 1935년에 바이칼의 겨울 탐사 중 탐사팀에서 이상한 현상을 발견했지요. 겨울에 영하50도를 오르내리는 혹한의 날씨인데 이상하게도 바이칼호수의 일정부분이 대규모로 얼음이 녹거나 부서지더라는 겁니다. 그곳의 원주민인 부리야트족의 사람들도 그 사실을 알고 있었는데, 그들 말로는 북극해 밑으로 들어가는 곳에 거대한 청동거울이 있어, 그것에 신이 빛을 반사해 이곳이 이렇게 녹는다는 것이었죠. 나의 탐사팀이 이것의 길이와 모양을 쟀는데, 수 킬로미터의 지름으로 둥근 원모양이라는 것을 확인하고 저들이 말하는 거대한 청동거울의 모양임에 놀랐죠. 하지만 탐사팀은 얼음이 녹는 여름철에 대대적인 탐사작업으로 그곳의 호수 깊은 곳에서 둥근 형태의 대형 통로를 발견하게 되었지요. 나는 그들에게 2인용 소형잠수함을 지원했고 그들은 그 통로를 통해 탐사를 한 끝에 통로가 북극해의 북위 84도 지점의 해저 통로로까지 이어져 있다는 것을 알아냈습니다. 그 이후 본격 정밀탐사를 위해 탐사인원 25명가량을 포함한 대형 잠수함을 1년 전에 북극해 해저동굴을 통해 다시 파견한 상태입니다. 〉

〈그럼 무덤은…… 무덤은 어디에 있는가?〉

〈무덤은 아주 최근에 탐사를 통해 발견되었다는 보고만을 받았고 자세한 사항은 탐사팀과 만나서 확인을 해 보아야겠습니다. 그들은 현재 알혼섬에 상주하고 있죠.〉

이런 놀라운 사실을 듣고 있는 중에 잠수함은 북극해로 깊숙이 유영해 들어가고 있었다. 어느덧 심해에도 어둠이 내려왔다. 이렇게 베를린과 동떨어져 있는 이곳에 있으면서 그곳의 가족들의 안전과 시내의 교전소식은 어떻게 되었는지 알 수가 없었다.

그에게 세계제왕에의 의지를 심은 나는 그 시작과 끝맺음을 함께 해야하는 운명적 카르마를 느끼며 예측불허인 앞으로의 행보가 두렵다기보다는 자포자기적으로 내려놓았다는 게 맞았다

심연의 바다 속에서 맞이하는 밤은 그 깊이만큼이나 나의 삶속의 심연임을 느끼게 했다.

다음날 내가 조정실에 들어서자 히틀러는 이미 깨어 슈로더함장과 지도를 살피고 있었다. 그러다가 히틀러는 조정 승무원 중에 한 명에게 라디오의 주파수를 맞출 것을 명령했다.

한 소련 방송이 거의 같은 내용을 반복적으로 떠들어대었다. 승무원에게 통역할 것을 히틀러가 명령하자, 머뭇거리며 승무원은 말하기 시작했다.

[1945년 5월1일 영광의 노동절인 오늘, 스탈린 동지께서 베를린

을 장악하셨습니다. 우리 소비에트연방의 군인들은 용맹스럽게 싸워 독일군을 섬멸하였습니다. 히틀러와 그의 부인은 자살하여 불에 탄 채 발견된 것으로 알려졌습니다.]

이 내용에 모두들 어리둥절하여 서로를 쳐다보았다. 정작 히틀러 본인은 담담히 그 방송을 경청하고 있었다.

〈아니 부인이라니? 평생 독신으로 살아온 자네에게 부인이라니?〉

내가 말도 되지 않는 허위방송에 기가 막혀 히틀러에게 물었다.

〈네, 박사님 그랬었지요. 하지만 어제 저는 결혼했습니다.〉

〈누구와?! 에바하고?〉

〈네, 이제까지 의리를 지키고 제 옆에 있어준 사람인데 죽기 전에 그녀의 소원은 이루어 주어야 했지요.〉

그의 옆에서 항상 묵묵히 지켜주던 에바 브라운을 알기에 나는 그녀에게 연민이 느껴졌다.

〈그럼 자살은 다 먼가? 이렇게 버젓이 살아있는데.〉

〈아……, 그것은 약간의 트릭이 필요했죠. 제가 살아 있다는 것을 스탈린이 알게 되면 가만히 있지 않을 테니까요. 에바의 하녀 클라우디아가 진심으로 우리의 결혼을 기뻐해 주었지요. 그리고 에바를 처음으로 히틀러부인이라고 불러준 인물이기도 하죠. 그 클라우디아가 나의 사체를 대신한 겁니다.〉

그렇게 된 것이었다. 공식적으로 히틀러는 세상에 없는 것이었다. 많은 이들이 원하는 대로 된 것이었다.

이제 그는 자유로이 자신이 구하고자하는 제왕의 상징인 '사자의 서'를 찾을 것인가?

만약 찾게 된다면? 아니 찾게 되지 않는다면?

나는 문득 스승님의 말씀을 떠올렸다. '사자의 서'는 머지않은 시일 내에 곧 찾게 될 것이라고 했던…….

그리고 그때가 되면 신들이 예정한 계획에 따라 예정된 인물이 예정된 일을 하게 될 것이라 하셨다.

그렇다면 불가능한 일도 아니지 않는가?

만약에 운명이 히틀러의 편이라면? 이미 기울어진 운명이지만, 신이 이미 예정한 인물이 그라면…….

잠수함은 어느덧 목표로 하고 있는 북위 84도 지역에 다다르고 있었다.

북극 심해의 바닷속 지형은 마치 산을 겹겹이 지나야하는 티벳의 모습을 연상시켰다. 또한 음침하고 거의 생물의 그림자를 찾아 볼 수 없었다.

해령의 끝자락인 지역에 도착했을 땐 바닷속이 심상치 않음을 느낄 수 있었다. 해류의 흔들림인지 아니면 이 지역만의 특성인지 알 수 없는 진동이 계속되고 있었다.

잠수함에서 바라본 심해의 바닷속 산들은 요상스럽게도 살아 있는 것처럼 공기 물방울을 뿜어내고 있었다. 모두들 긴장한 가운데 슈로더함장이 히틀러에게 이 지역에 대한 보고를 하였다.

〈이 지역은 화산지역입니다. 여기에 형성된 산들은 융기에 의한 것이 아니라 오래전에 화산활동으로 형성된 것으로 보입니다. 그리고 지형의 두께가 그리 두텁지 않아 언제 다시 화산활동을 시작할지 모른다고 보고되었습니다.〉

〈으흠……, 저 땅에서 올라오는 기포들은 다 뭔가?〉

히틀러는 심각한 표정으로 물었다.

〈저것은 화산활동으로 인한 온천수와 화산가스등 메탄, 탄산, 황화수소가스등으로 보고되었습니다.〉

〈온천수? 그럼 지금 여기 물들이 온천수가 섞인 물들인가?〉

〈네 그렇습니다. 아마도 미세하게 이 물과 가스등이 흘러들어가 바이칼호의 얼음을 둥근 모양으로 녹이고 있는 원인으로 분석되어 집니다.〉

〈그렇군. 청동거울은 아니라는 거군.〉

히틀러는 엷고 차가운 미소를 지어 내었다.

〈그럼 화산활동이 다시 시작되면……, 헛……! 이거 북극이 다 녹는다는 거 아닌가?〉

금방 히틀러는 다시 심각한 표정이었다.

드디어 잠수함은 거대하고 칠흑 같은 굴 앞에 다다랐다.

이것을 보고 받자 히틀러는 대뜸 슈로더함장에게 물었다.

〈잠수함이 물위로 떠오르지 않고 얼마나 버틸 수 있는 산소를 가지고 있나?〉

〈네, 약 2주간입니다.〉

〈좋네. 목표지점으로 출발하세.〉

잠수함은 마치 지옥의 문과 같은 위협적인 어둠의 굴로 들어가기 시작했다. 이런 상당한 크기의 굴이 지형적으로 바이칼까지 연결되어 있다면 이미 오래전에 거대한 시베리아대륙 밑에는 바닷물이 흐르고 있었단 사실이 된다.

잠수함의 불빛에만 의지해야 하는 어둠속이라서 위험을 감지하기 위해서는 속도가 빠를 수는 없었다. 모두들 숨죽인 채 7일간의 해저굴속 탐험이 시작되었지만 시간이 어느 정도 지나서는 승무원의 생활은 긴장이 풀리고 일상적이 되었다.

드디어 길게만 느껴지던 어둠의 시간을 보내었다. 점점 어두운 장막이 걷히는 듯 그야말로 잠수함은 신세계로 진입하고 있었다. 모두들 자신들도 모르게 탄성들을 내었다.

하지만 히틀러만이 계속된 어둠의 항로에 무표정으로 일관하고 있었다. 그는 권위적인 태도를 좋아하지 않아 말단군인들과도 곧잘 농담을 하던 인물이었다. 그러나 그는 심리적으로 심히 기가 죽은 상태처럼 보였으며 그도 나처럼 운명에 대한 의구심과 패전에 대한 책임과 압박감으로 평소의 그가 아닌 좀 멍한 정신 상태를 보이고 있었다.

환한 굴 밖으로 나온 잠수함은 가속도를 붙여 물위로 급부상을 단행하였다. 수분이 지나서 잠수함은 커다란 굉음을 내며 물 밖으로 부상하였다.

얼음을 깨고 부상한 잠수함 밖을 승무원들은 무슨 동물원 구경이라도 난 듯 잔뜩 호기심에 부풀어 쳐다보려고 난리들이었다. 아마도 오랜 시간 어두운 굴속에 갇혀 있었던 반작용인 듯했다.

히틀러는 함장에게 무선을 칠 것을 명령했다.

잠시 후에 무선을 받은 슈로더함장의 안색이 그리 밝지 않았다.

〈총통각하, 알혼섬에는 들어가지 못할 것 같습니다.〉

〈무슨 일인가?!〉

히틀러 잔뜩 날선 어조로 다그쳤다.

〈근래 전투상황이 긴박하여 이곳 잠수함과 교신을 못 주고 받아, 이제야 알게 된 사실인데 알혼섬에서 대부분의 부리야트족들은 연해주와 시베리아 쪽으로 이동한 상황이고 현재 이곳은 스탈린이 정치범 수용소로 이용하고 있다고 합니다.〉

함장 역시 난감함을 얼굴에 드러내었다.

〈쳇, 시베리아 벌판을 지나야하는 이 거대한 호수 한 가운데 정치범들을 수용하고 고립시키다니 스탈린 녀석 영리한데…….〉

히틀러는 팔짱을 끼며 잠시 생각하더니 슈로더함장에게 탐사 잠수함으로 접선 장소의 좌표를 보낼 것을 명령하였다.

그리고는 나에게 잠시 잠수함의 밖으로 나가자고 말했다.
하얀 눈으로 덮인 얼음 벌판이 나타났다. 그동안의 어둠속 행로에서 받은 체증이 일시에 사라지는 듯했다.
20km 남짓의 거리에 눈에 덮인 알혼섬이 육안으로 희미하게 보였다.
〈참 이상한 곳이 아닌가? 서로 얻고자하는 욕망에 죽이는 것이 일상이 된 저 바깥세상에게 야유라도 보낼 듯한 이 고요함 말일세…….〉
나는 뒤따라온 승무원에게 미리 준비했던 철재 컵을 내밀어 호숫물을 퍼올 것을 주문하면서 히틀러에게 말했다.
〈인드라작전 탐사팀의 보고에 따르면 이곳의 원주민들은 이곳이 모든 지구상 자손들의 시작이며 신의 나라를 처음 세운 곳이라고 주장한다는군요. 그래서 이곳을 신의 땅이라고 여긴답니다.〉
알싸하게 차가운 바람에 히틀러는 눈을 가느다랗게 뜨고는 수 십 킬로미터 떨어져 희미하게 시야에 들어오는 알혼섬을 바라보며 말했다.
그가 신의 땅이라고 말했을 때 나는 오래전 구게왕국으로의 여행에서 지금은 꿈이 였던가하고 여길 정도로 아련한 생명나무아래 신의 영역을 떠올렸다. 너무나도 까마득히 잊고 지냈었다. 이 세상에서 육체를 가지는 한, 신의 영역을 안다하더라도 어쩔 수 없이 고통을 느끼는 육체적인 인간의 삶을 살아내야 하는 고단함은 신의 영역을 그리고 신의 땅을, 신의 말씀을 잊게 만들었던가?
그것, 역시 신의 의도일까?
승무원이 철재 컵에 호숫물을 가득 담아 올라와서는 나에게 건네었다.
나는 호숫물을 본 이상 마셔봐야 한다는 의무감 같은 것이 생겼었다. 그것은 성산카일라스에서 빛의 생명나무와 오색 빛으로 영롱히 파동 치던 신의 영역을 본 그 여행 이후부터 생긴 버릇이었다.

〈앗!〉

물은 이가 시릴 정도로 차가왔다. 처음에 물을 마셨을 때 시원하고 차가운 청량감 외에는 못 느끼겠더니 끝 맛에서 짠맛이 느껴졌다. 흡사 락샤스탈호수의 물맛과 같았다.

〈왜 그러십니까?〉

히틀러도 놀라서 나를 바라보았다.

〈아…… 이 호수가 염수호인가?〉

〈아닙니다. 지상최대의 담수호이지요.〉

〈그런데 어째서 짠맛이 나는가?〉

〈탐사팀의 보고에 따르면 이 호수의 서너 곳에서는 염수가 측정된다고 합니다. 그것을 탐사팀은 북극해의 해저동굴을 통한 바닷물의 유입으로 보고했더군요.〉

우리가 이런 대화를 나누고 있는 동안에 멀지않은 부근에서 잠수함이 굉음을 내면서 부상하였다. 인드라 탐사팀의 것이었다. 하지만 잠수함에는 유보트의 고유 넘버도 기종의 표시도 역시 없었다.

이윽고 잠수함외부로 함장인 듯한 남자와 몇 명의 승무원이 보트를 내려 탔다가는 얼음위에 상륙하여 이쪽을 향해 걸어오고 있었다.

우리 쪽에서도 승무원들이 분주히 보트를 준비하고 있었고 잠수함에 다다른 그들을 보트로 데려왔다.

이를 계속 지켜보던 히틀러는 탐사팀 잠수함 함장으로부터 인사를 받고 악수를 나누었다.

〈징기스칸의 무덤에 대한 보고를 받겠네. 무덤은 찾았는가?〉

〈네, 그렇습니다. 총통각하!〉

탐사팀의 함장의 긍정적인 대답에 히틀러의 얼굴이 급속히 환해졌다.

그리고 그는 더 이상 참을 수가 없다는 듯이 다그치기 시작했다.

〈그곳이 어디인가?〉

〈현재 위치가 스뱌토이노스만 앞쪽입니다. 징기스칸이 수장된 곳은 알혼섬과 스뱌토이노스의 사이에 위치해 있고 바이칼호수에서도 가장 수심이 깊은 장소입니다. 바로 저 곳입니다.〉

그가 가리킨 곳은 안개가 끼기 시작한 호수위로 눈으로 덮여 아련하게 알혼섬이 보이고 있었다. 알혼섬과 지금의 이 장소 사이 어디쯤이 바로 무덤이 있는 위치란 말인가?

여기까지 보고를 받은 히틀러는 더 자세한 기술적 보고를 위해서 잠수함 안으로 이동했다. 그 사이에 승무원들은 식량 확보를 위해 일부는 낚시를, 일부는 주변 탐색임무를 위해 움직였다.

탐사는 쉽지 않은 작업이 될 것으로 전망되었다.

탐사지역의 최고수심이 1637m나 되는데 무덤의 위치는 자유자제로 이 수심의 위아래를 왔다갔다 움직이는 형태라고 했다. 직접 육안으로 보지 않은 이상, 말만으로는 선뜻 상상이 되지 않았다.

고정되어 있지도 않고 수심이 깊은 곳에서 탐사작업을 해야 한다는 것은 난제가 아닐 수 없었다.

탐사팀과 히틀러가 머리를 맞대고 작전을 짜는 것을 지켜보면서 현실로 다가온 '사자의 서'의 실체가 견딜 수 없이 궁금하기도 했고 세기의 발견이 될 징기스칸의 무덤 역시 나를 흥분시키고 있었다.

다음날 아침 눈뜨자마자 잠수함내부의 공기가 심상치 않았다.

밤사이 우리가 타고 온 잠수함의 승무원 중 한명이 숨진 채 발견되었기 때문이었다. 사체는 깨끗했고 어떤 타살의 흔적도 볼 수 없었다. 잠수함 내부의 군의관은 아무리 살펴보아도 사체에 누군가 손을 댄 흔적은 찾을 수 없었으며 평소에 지병이 있던 승무원도 아니었으므로 결론적으로 오랜 시간의 심해 속 항해로 인한 과로사로 보고하였다.

사실 이날 아침, 한 사병의 의문사는 이때만 해도 그냥 애석한 죽음에 그쳤었다. 하지만 그 의문의 죽음은 점점 모든 승무원에게 공포로 다가오고 있는 것을 아무도 눈치 채지 못했다.

오전부터 이런 일련의 사건에도 불구하고 탐사를 위한 잠수가 시작되었다. 두 잠수함은 바이칼 호수의 가장 깊은 접점인 징기스칸의 무덤이 있는 지점을 좌표로 하여 내려갔다.

수심 100m지점쯤에서부터는 호수속이 어두워지는 듯했으나 조금 더 내려가자 오히려 점점 환해지는 것을 느꼈다. 이윽고 수심 200m지점을 못 미쳐서는 호수가 환해지면서 조금 더 내려갔을 때 나는 내가 눈앞에 보고 있는 것을 믿을 수가 없었다.

거대한 구였다.

그 지름의 크기가 잠수함의 6, 7배 정도로 상당한 규모의 구였다. 마치 하늘의 달을 따다가 이 깊은 심해에 박아 놓은 듯, 겉으로 봐서는 흙인지 암석인지 구분이 되지 않는 재질의 거대한 구는 언젠가 뮌헨대학에서 발간한 과학지에서 우주과학과의 모 교수가 특수망원경으로 찍은 토성의 사진을 연상하게 하는 알 수없는 빛의 띠를 가지고 있었다.

작은 빛 알갱이들이 모여 만들어 내는 신비한 띠는 구의 중심부분의 가로방향으로 빙 둘러 빛나고 있었다.

히틀러뿐만 아니라 승무원들도 모두 깊은 심해에서 지구 밖의 우주풍경을 접하고 있는 듯 넋이 나가 있는 상태였다.

저것이 징기스칸의 무덤이란 말인가?!

단지 고고학의 위대한 발견쯤으로 여기던 나는 눈앞의 현상에 오히려 멍함을 느끼며 판단을 불허하는 상황에 난해함을 느꼈다.

도대체 저 빛들은 무엇이란 말인가?

어떻게 저런 대규모의 구를 무덤으로 썼으며 그리고 어떻게 심해로 옮겨 놓았단 말인가?

보여지는 모든 것이 의문이었고 미스터리였다.

나는 입을 벌린 채 바보가 된 듯한 상태에서 벗어나려 정신을 가다듬었다. 자세히 바라본 구는 어지러운 조각들이 새겨져 있었다. 그 조각의 모습은 가까이 다가가면 더 자세히 볼 수 있을 것 같았으나 잠수함들은 안전의 문제때문인지 탐사를 중단하고 처음 도달했던 좌표로 방향을 틀고 있었다.

그날 오후, 인드라 작전 탐사팀 함장이 참석한 가운데 몇몇 관계 참모들을 포함하여 발굴 작업을 위한 회의를 가졌다.

회의에는 크게 확대한 의문투성이 구체의 사진들이 탁자위에 놓여 있었다.

〈보신 바와 같이 징기스칸의 무덤은 지름 66m가량의 거대한 구입니다. 이 구의 재질은 암석으로 화강암인 것으로 보입니다. 현재 이 구가 떠있는 좌표는 수심 200m 가량입니다. 이 구의 좌표가 위아래로 이 지점에서 상하로 움직이는 것을 관찰해 보건데 구의 안은 비어 있을 것으로 확신됩니다. 그리고 자세히 보시면 이 구가 약간 타원형을 보이는데 세로의 지름은 약 60m가량이고 외면의 조각의 방향으로 미루어 보아 약 23도 가량 기울어져 있는 것으로

추정됩니다.〉
탐사팀 함장이 무덤에 관한 간단한 브리핑을 하였다.
〈도대체 저 빛나는 띠는 정체가 무언가?〉
히틀러의 물음에 모두들 정말 궁금하다는 듯 함장을 응시했다.
〈사실은 그 빛에 관한한 정확한 파악은 되지 않았습니다. 지금으로서는 그냥 빛이라고만 말씀드릴 수밖에 없습니다.〉
〈아니, 그럼 저 빛에 관해서 아무것도 보고 할게 없다는 말인가?〉
정곡을 지르는 히틀러의 말에 모두들 더욱 강한 눈초리로 함장을 바라보았다.
〈아……, 저 그것이 사실은 그 빛을 채집해 보려 했지만 마치 햇빛이 채집 되지 않듯이 채집이 불가능하였고 또 딱히 햇빛 같다고 하기가 그런 것이 전혀 열을 내지 않고 전자기나 전기를 띠는 것도 아닙니다. 또한 그 숫자들이 불규칙하게 생겨났다가 없어진다는 것입니다. 마치 생물처럼 개체가 늘어났다가 줄기도 하지만 절대 생명체는 아닙니다.〉
〈그럼 저 빛이 무슨 유령이라도 된단 말인가?〉
히틀러는 코웃음을 치면서 말했고 회의의 참모들도 낮은 소리로 웃었다.
〈네, 쉽게 말하자면 유령 같습니다. 저것은 전혀 새로운 물질이든지 아니면 물질적인 것이 아니든지 둘 중에 하나인 것 같습니다.〉
마치 진심을 고백하는 듯한 함장의 낮은 톤의 대답에 웃음소리가 사라졌다.
그런 함장을 잠시 바라보던 히틀러는 질문의 방향을 다른 쪽으로 돌렸다.
〈그럼 저 외벽에 새겨진 조각들은 다 무언가?〉
〈네, 자세히 사진을 보시면 아시겠지만 이것은 두 개의 뱀들이 꼬여 올라간 조각입니다. 거대한 뱀들의 쌍은 서로 마주 보는 구도로 조각되어 있고 모두 12개의 쌍으로 되어 있습니다.〉

〈왜 하필이면 뱀인가? 징기스칸이 사탄숭배자라도 된단 말인가?〉

〈아닙니다. 아시아 지역에서는 서양에서와 달리 뱀과 용의 모습을 같게 취급하고 특히 조각에서의 뱀은 용으로써 영물 취급을 합니다. 그리고 몽골지역은 예로부터 뱀을 신성시하는 풍습이 있습니다. 아마도 묘의 수호신으로 새겨 넣은 것으로 추정됩니다.〉

함장의 보고에 히틀러는 잠시 생각에 잠긴듯하더니 말을 이었다.

〈그럼 입구는 어디이겠는가?〉

히틀러의 질문에 함장은 기다렸다는 듯이 사진 한 장을 꺼냈다.

〈이 사진을 자세히 보아 주십시오. 이 사진은 바로 무덤의 23도 기울어짐을 감안한 윗부분으로 추정되는 지점을 찍은 것입니다. 자세히 보시면 중앙부분에 둥근 모습의 조각이 보이실 것입니다.〉

이 부분에서 그는 또 다른 사진을 꺼내어 들었다.

〈이 사진이 그 부분을 확대한 부분입니다. 둥근 모양의 조각은 뱀이 둥글게 자신의 꼬리를 물고 있는 형상입니다. 현재로서는 이 부분이 입구인 것으로 강하게 의심됩니다.〉

〈우로보로스이군!〉

엉겁결에 나도 모르게 외치자 모두들 나를 쳐다보았다. 곧이어 함장의 설명이 이어졌다.

〈네, 그렇습니다. 고대에서부터 세계 각지에서 발견되는 우로보로스 상징입니다. 이것은 생의 시작과 끝이 맞물려 끝없이 반복되는 윤회사상이나 무한사상을 용이나 뱀이 꼬리를 물고 있는 형상으로 나타낸 것입니다. 이것은 외벽의 뱀들을 새긴 것과 같이 상징적인 의미를 담고 있는 것 같습니다. 이 상징이 끝이자 시작이라는 의미로 미뤄 짐작컨대 입구로 확신한 것입니다.〉

〈그렇다면 저 입구를 들어가 봐야 할 텐데 물속의 수심 200m지점에 있는 무덤의 입구를 사람이 작업한다는 것은 불가능하지 않은가?〉

히틀러가 왼손을 뻗어 사진의 둥근 부분을 손가락으로 둥글게 그리는 동작으로 하며 말했다.

〈그 부분을 저의 참모들과 많이 고민하고 연구해 보았는데, 방법은 구체를 수면 가까이 끌어 올리는 방법이 가장 적절할 것 같습니다.〉

〈어떻게 말인가?〉

〈수개월 전에 저희 탐사팀이 부탁한 기계들이 있습니다. 현재 슈로더함장님께서 완성된 기계의 조립 부품들을 싣고 오신 것으로 무전을 받았습니다만……. 〉

모두들 약속이나 한 듯 슈로더함장에게로 시선이 쏠리었다.

〈네, 6개월 전에 의뢰 받아 완성한 기계들을 저희 잠수함에서 인수받았습니다. 하지만 미조립된 상태라서 오늘밤 안으로 조립작업을 끝내도록 하겠습니다.〉

〈오늘밤 안으로 조립작업이 끝난다면 내일 오전 중에 2인용 잠수정을 이용하여 작업을 마칠 수 있을 것입니다.〉

말을 마친 후 함장은 두루마리로 된 큰 종이를 펼치어 탁상위에 놓았다. 그것은 정교하게 그려진 기계의 도면이었다.

〈이 기계는, 쉽게 말하자면 대형 프로펠라 같은 것입니다. 조립작업이 끝나고 모두들 확인해 볼 수 있으시겠지만 모두 다섯 개의 대형 프로펠라이며 이것은 각각 구의 밑면에 안착을 시켜 고정을 시킬 것입니다. 고정 방법은 물속이므로 물의 압력을 이용한 고무파킹으로 고안되었습니다. 각각의 프로펠라에는 각각 대형 고무파킹이 달리어 구의 밑면에 압축부착을 시킬 것입니다. 그 후 이 대

형 프로펠라 5개를 동시에 구동시켜 그 힘으로 인해 구를 위쪽으로 부상 시키는 작전이 시행될 것입니다.〉

〈성공률은?〉

〈거의 90%이상 성공을 확신합니다. 일단 2인용 잠수정으로 구의 아래 면에 프로펠라들을 부착하는 작업만 성공된다면 거의 100%로 성공입니다. 그리고 현재 겨울의 끝자락이라 거의 얼음이 녹아 있습니다. 이 부분의 얼음의 두께는 50cm가량인데 이 얼음에 구멍을 여러개 뚫어 위로 부상한 구를 고정시키는 작업을 끝마치고 입구 쪽 얼음만 제거 하면 안전하게 탐사를 할 수 있는 환경이 만들어 집니다.〉

함장은 참으로 용의주도하고 꼼꼼한 인물이었다. 기계의 도면을 치우자 자세한 작업의 과정도가 그려져 있었는데 작업의 작은 부분인 위치와 길이 등을 명시하고 있었다. 23도의 기울기를 감안하여 입구 쪽을 얼음과 맞닿도록 정밀하게 프로펠라의 위치를 명시하고 있었다.

회의가 끝난 이후의 히틀러는 베를린 탈출 후 처음으로 활력이 돌고 있었다. 역사적인 발견이 될 이번 작전으로 그는 오랫동안 갈망해오던 '사자의 서'를 손에 넣을 생각으로 충만한듯했다.

하지만 과연 '사자의 서'가 그의 손아귀에 들어 갈 것인가?

만약 '사자의 서'를 손에 넣는다면 그가 세계의 제왕이 되는 것일까?

징기스칸의 무덤에 대해 전혀 예측할 수 없었듯이 그 어떤 예측도 할 수가 없었다.

히틀러가 나를 부르더니 이젠 때가 되지 않았냐는 얼굴로 나에게 물어 왔다.
〈박사님 '사자의 서'란 어떤 책입니까?〉
그의 질문에 나 역시 그에게 다시 물어 보고픈 충동을 느꼈다.
〈고대로부터 본 자들의 기록이 전혀 없으니… 아니, 보았다고 해도 아마 모두 후대에 알리거나 자랑할 만한 것이 아닌 건 분명한 것 같네……. 그만큼 대단하거나…… 아니면 무서운 것이 아니겠는가?〉
〈그 말씀은 … 상당히 위험할 수도 있다는 말씀입니까?〉
〈글쎄……, 그럴 수도 있지 않겠는가? 스승님의 말씀으로는 '사자의 서'는 인간계에 존재하는 것이 아니라고 하셨네. 인간계의 것이 아니라면 신들의 것이라는 것 아니겠는가?〉
나의 이 말에 히틀러는 무어라 표현할 수 없는 표정을 지어내었다. 한편으로는 굳은듯하면서도 마치 금방이라도 웃어 버릴 듯한 묘한 표정이었다.
신계의 물건?
극도로 위험할 수도 있으나, 극도로 위대하여 나라도 국민도 영웅도 사라져버린 지금에 그에게는 한줄기의 빛과도 같은, 아니 선택의 여지가 없는 최후의 위대한 보류였던 것이었다.

1945년 5월 11일

전 세계는 2차 세계대전의 종결과 그 원흉이었던 히틀러의 죽음을 기뻐하고 있을 때였다. 그들이 승리감에 젖어 축배를 들고 있을 때 히틀러는 전혀 예상 밖의 장소에서 어느 누구도 예측할 수 없는 일을 벌려 내고 있었다.

바이칼,
그 어느 누구도 이곳을 주목하지 않았다.
인간들의 고뇌와 삶이 뒤섞인 바깥세상과 달리 고요한 이곳은, 소비에트 연방의 정치범들조차도 꽁꽁 얼어붙은 알혼섬 내의 수용소에 갇혀 촛점잃은 눈빛으로 외부에는 관심이 없는 듯 아니 관심을 갖기 싫은 듯, 그 어떤 인간의 삶에서도 무대가 되길 거부하고 있었다. 그저 얼음과 눈의 벌판만이 시베리아의 칼날진 바람에 반응하는 내버려져 잊혀진 세계였다.

여기.
히틀러가 있었다.

당시 세계대전의 전범으로 히틀러의 참모들은 줄줄이 전범재판에 넘겨져 사형을 당하거나 합당한 감옥행을 받았다. 기세등등했던 신세계제왕의 기운은 몰락으로 치달아 그 끝 꼭짓점에 도달해 있었다.
그러나,
그는 과연 운명의 수레바퀴를 거꾸로 돌릴 수 있을까?
적어도 이곳에 있는 50명 남짓의 그의 마지막 군대는 그가 무언가 해낼 것이라고 믿는 것일까?
히틀러의 부활을 마주한 세계는 과연 어찌 반응할지?
게다가 '사자의 서'의 막강한 힘마저 얻는다면 그는 아마도 추종자들의 새로운 메시아가 되어 그 자신이 종교가 될지도 모르는 일이었다.
만에 하나 그가 해낸다면, 그는 동시대에 악마와 신이라는 두 개의 이름을 갖게 되는 유일한 인간이 될 것이다.

인간에게는 악마와 신을 구분하는 능력이 있기나 한 것일까?
인간이란 단지 살아남기 위한 투쟁만이 원동력인 존재들인 것일까?
그리고 그것을 이용하여 권력으로 지배하는 자, 그 자들이 만들어 내는 달콤한 환상의 말에 역사를 돌리는 수레꾼의 역할을 마다하지 않는다.
그렇다면,
이제 히틀러는 그들의 또 다른 신이 되어 줄 것이다.

밤사이에 대형 프로펠라의 조립작업은 끝났다.
바이칼에는 눈이 내리고 있었다. 물론 하늘을 오가는 독수리 외에는 그들을 감시하는 눈은 없었지만 내리는 눈에 의해 시야가 흐려 작업을 하기에는 더 이상 좋을 수 없었다.
아침부터 잠수정의 프로펠라 부착작업을 진두지휘하기위해 2대의 잠수함들은 수심200m에 집결하였다. 잠수정의 작업은 의외로 난해하지 않았고 잠수정의 위치 작업만 확실하다면 부착작업은 거의 오차 없이 끝날듯했다.
잠수정 밖의 잠수함에서 부착좌표 지점을 무전으로 지시하였다.
심해에서 잠수정의 프로펠라 부착작업이 한창일 때, 얼음 밖의 좌표에서는 얼음에 구멍을 뚫는 작업이 진행 중이었다.
프로펠라의 부착작업은 정오가 되기 전에 마무리가 되었다. 오후에는 프로펠라 구동과 더불어 구체를 위로 부상시키는 작업이 진행된다고 하였다.
프로펠라의 구동은 안전상의 문제로 원격으로 조정되었다. 정말 놀라운 기술력이었다. 원격이라니…….

5개의 대형 프로펠라가 동시에 작동을 시작하면서 구체는 서서히 위로 부상하기 시작했다. 시속 40m의 속도라고 했다.

놀랍게도 구체 주변에 빛의 띠가 구체가 위로 부상함에 따라 함께 이동되는 것이 목격되었다. 마치 자석에 반응하는 철가루마냥 구체의 움직임에 맞춰 따라 올라 갔다.

도대체 저 알 수 없는 띠의 정체는 무얼까?
5시간의 프로펠라의 구동작업으로 구체는 얼음과 맞닿는 큰소리를 내며 얼음 밑까지 부상하는데 성공하였다.
모두들 패전병이라는 사실을 잊은 양 환호성을 내었다.
저녁 늦게까지 얼음에 구체를 고정 시키는 작업이 진행되었다. 몇몇의 잠수부가 물속에서 구체둘레에 드릴로 고정 쇠판을 8개를 박고 그것을 쇠줄로 각각 얼음에 고정하는 작업이 16군데의 얼음구멍에서 진행되었다.
이제 남은 것은 얼음과 맞닿은 부분에 구멍을 뚫어 무덤으로 들어가는 입구를 확보하는 일만 남겨 놓았다.
오랜만에 잠수함내부에서는 축제 분위기를 맞았다.
마치 이미 목표한 바를 달성하여 '사자의 서'를 얻은 것처럼 들떠있는 느낌이랄까?
이 날 밤, 잠수함에서는 특별히 술을 마시도록 허락이 되었다. 모두들 마치 신년 축하의 밤이나 누군가의 파티에 온 것처럼 떠들며 마셔대었다.
밖에는 여전히 시베리아의 찬바람을 타고 눈이 내리고 있었고 그보다 더 바깥세상은 패전국에 대한 철퇴가 가해지고 있었지만 이곳은 전혀 다른 세상이었다.

모두들 이것이 인생의 마지막 파티인 것처럼 미친 듯이 즐겼다.

다음날 아침, 그 전날 밤늦게 까지 술을 마신 때문인지 모두들 늦은 아침을 맞이했다. 전혀 술을 입에 대지 않았던 히틀러조차도 어제 밤만은 달랐다.

오랜 세월 나는 그를 보아 왔지만 술을 마시는 모습은 처음이었다. 많이 마시지는 못 하였으나 취기가 도는 불그레한 얼굴로 노래도 부르고 큰 소리로 웃기도 하였다.

게다가 그는 늘 부지런해서 늦잠을 자는 것을 본 적이 없었지만 역시 오늘 아침은 달랐다. 마치 깨기 싫은 꿈이라도 꾸는 양 깊이 잠들어 있었다.

그런데 늦은 아침 시간, 누군가의 이름을 다급하게 부르는 소리가 승무원들을 깨웠다. 슈로더 함장과 내가 달려가 보았을 때 승무원 두 명이 눈을 뜨지 못하고 있었다.

이런 참담한 사건은 슈로더 함장의 잠수함뿐만 아니라 인드라 탐사팀의 잠수함에서도 벌어 졌다. 한 명의 승무원이 눈을 뜨지 못하고 있었던 것이었다.

히틀러는 벼락이라도 맞은 듯 말을 잇지 못하고 있었다.

〈진상을 밝히게! 어떻게 갑자기 건장했던 사내들이 하룻밤에 세 명이나 죽을 수 있단 말인가?!〉

그의 이런 노발대발에도 불구하고 군의관은 이렇다 할 사인을 밝히지 못했다.

히틀러는 인드라 탐사팀의 함장에게 이에 대한 적절한 보고를 하도록 명령하였다.

말없이 고개를 숙이고 있던 함장이 입을 열었다.

〈이번이 실은…… 6번째입니다.〉

〈뭐라고?〉

히틀러는 기가 막힌다는 듯이 함장을 쳐다보았다.

〈그럼 이런 일이 몇 번이나 있었단 말인가? 그런데 왜 보고를 하지 않았는가?〉

〈탐사를 시작하면서 일정한 간격을 두고 승무원들이 사망을 했는데 저희 쪽 군의관도 그 사유를 알지 못해서 스트레스로 인한 돌연사로 결론지었습니다. 앞서 두 명까지는 보고가 들어갔으나 근래의 사망자는 보고 하지 않았습니다.〉

〈도대체 사망의 이유가 뭔가? 바이칼에 무언가 있는 것인가?〉

히틀러는 함장에게 목청을 높였다.

지휘관들뿐 아니라 각 함의 승무원들의 분위기도 심상치 않았다.

두려움 속, 불안한 공기가 흐르고 있었다. 전쟁 상황에서 군인들에게 불안감은 각성을 할 수 있는 효과가 있을지 모르지만 그것은 서로 피터지게 싸우는 결전의 장소에서나 그 힘을 발휘하는 것 아니겠는가?

〈좀 더 신중히 무덤을 건들어야 할 것 같다는 생각이 드네.〉

계속 침묵을 지키고 있던 내가 말을 꺼내었다.

〈왜요? 뭣 때문에 그렇습니까!?〉

히틀러는 거의 싸울 듯이 나에게 쏘아 붙였다.

〈이것은 거의 700년 전에 만들어진 오래된 것이네. 오랜 세월 봉인되어 있던 것인데 아무래도 현재의 것들과 맞지 않는 것이 있을 수 있지 않겠는가? 전에 대학에 있을 때 이집트의 무덤을 탐사하던 역사 팀들이 발굴탐사직후 불운을 겪은 적이 있다는 말을 역사학 교수로부터 들은 적이 있네.〉

〈하지만 아시다시피 저희에게는 시간이 없습니다. 그리고 더 지체하다가는 얼음이 다 녹을 수도 있다구요! 그러면 우리들이 해온 작

업은 모두 물거품으로 돌아갑니다.〉

히틀러의 말이 맞았으므로 나는 더 이상 말을 덧붙일 수가 없었다.

그때, 히틀러가 나에게 물어 왔다.

〈혹시…… '사자의 서'의 영향일 수도 있습니까?〉

〈자네가 말해서 말인데……, 말 그대로 '사자의 서' 아닌가?〉

히틀러와 나의 사이에 오간 대화는 참모들마저도 얼어붙게 만들었다.

히틀러는 잠시 생각에 잠긴 듯했다. 그는 오른손은 팔짱을 끼고 왼손주먹으로 턱을 가볍게 툭툭 치면서 앉아 있었다.

모두들 침묵을 지켰다. 단지 히틀러의 말을 기다릴 뿐이었다.

〈여기 까지 온 것은 단 한 가지 목적을 위해서였습니다. 그리고 많은 희생을 치르며 큰 전쟁도 치렀습니다. 더 이상의 희생을 치르더라고 여기서 멈출 수는 없습니다.〉

결정은 내려졌다. 하지만 탐사는 정체를 알 수없는 죽음의 장막이 드리운 듯 암담하기만 했다.

승무원들은 다음 아침은 누굴까 하고 수군대었다.

그렇게 그 사건으로 인하여 아무것도 하지 못한 채 하루가 지나갔다.

히틀러에게는 목숨 같은 소중한 시간이 지난 것이었다.

다음날, 아침 점호 시간에 승무원의 인원 점검이 있었다. 유감스럽게도 인드라 탐사팀의 승무원 한 명이 또 희생당했다.

히틀러는 2인용으로 한정이 되어 있는 잠수정을 대기시키도록 명령하였다. 조정사외에 일인만이 더 탑승할 수 있으나 히틀러는 나를 같이 탑승시켰다. 그것은 입구를 열기 전에 좀 더 가까이에서 구체를 살피기 위해서였다.

얼음 밑에 여러 개의 쇠줄로 고정된 구체는 그 신비로운 빛나는 띠와 더불어 마치 사로잡힌 거대한 고래마냥 엮이어 있었다.

히틀러는 조종사에게 구체에 가까이 접근하도록 명령하였다.

구체에 가까이 다가갈수록 표면에 조각들의 모습이 확연히 눈에 들어 왔다. 호수의 물에 의해서 많이 마모가 되었음에도 불구하고 조각된 뱀의 모습은 그 비늘의 모양이 마치 살아 있는 중국식 용의 모습을 보듯 생생하게 느껴졌다.

그리고 다음 순간 두 마리의 용이 서로 꼬이어 올라간 모습에서 나는 화들짝 놀랐다.

꿈속에서나 본 듯 몽환적이면서 실제 했었던 것조차 의심스러웠던 생명나무의 수호용의 모습이 떠올랐다.

그것은 붉은 색의 비늘로 덮여있었고 악마의 얼굴 형상을 가졌었다. 나무를 베베 꼬아 올라간 그 형상이 너무나 확연히 구체의 조각과 겹쳐졌다.

〈아니……, 이럴수가!〉

나는 소리쳤다.

〈왜 그러십니까?〉

히틀러는 안 그래도 마음을 졸이고 있었던 탓인지 긴장하여 물어왔다.

〈이건……!〉

나는 다급히 조종사에게 빛의 띠 쪽으로 가까이 다가가 줄 것을 주문했다. 조종사는 머뭇거리며 히틀러의 얼굴을 쳐다보며 명령을 기다리는 듯했다. 히틀러는 말없이 긴장된 모습으로 고개를 한 번 끄덕였다.

서서히 잠수정은 구체의 띠 부분에 접근하였다. 작은 별빛 같은 빛들이 마치 살아 있는 것처럼 구체가 물결에 일렁일 때마다 함께 반응하여 따라서 움직였다.

〈이 빛들은…… 아주 오래 전 본 적이 있네!〉

나의 기억은 오래전 성산 카일라스의 피라미드 위에서 본 빛의 생명나무를 생생하게 떠 올리고 있었다.

〈어디서요?〉

〈성산 카일라스네.〉

〈카일라스? 거긴 거의 10여 년 전에 제가 탐사를 맡겼던 곳 아닙니까?〉

〈카일라스에서 본 것들에 대해 보고하지 않은 것들이 있다네. 그것이 말로는 설명되지 않는 영역의 것이라서 사실 보고가 합당하지 않다고 판단했었지.〉

〈그게 무슨 소리입니까? 말로 설명되지 않는 영역이라니?〉

〈그렇다네. 그래서 나는 그것에 대한 해답을 얻기 위해 나의 스승님을 찾아 갔었지. 스승님이 말씀하신 것은 바로 '생명의 나무'였네.〉

〈'생명의 나무'?〉

〈세상의 모든 생명탄생의 근원이 되는 나무라고 하셨네.〉

〈그 나무와 저 빛들과 무슨 관계가 있습니까?〉

〈그 '생명의 나무'에서 저 빛들이 생겨나고 있었네.〉

아, 나는 이제야 스승님의 말씀이 이해되기 시작하였다.

〈저…… 빛들은…… 생명체들의 것이라는 말이었어!〉

나는 탄식하며 말했다.

〈그게 무슨 말입니까?〉

히틀러는 도통 모르겠다는 듯이 말했다.

〈이보게 히틀러, 좀 더 쉽게 설명하자면 저것들은 영혼들이네!〉

〈·······.〉

히틀러는 나의 말에 별 감흥을 느끼지도 무슨 뜻인지도 모르겠다는 표정을 지어내었다.

하지만 이제야 나는 스승님의 말씀이 의미하는 바를 깨달을 수 있었다. 나는 지금 영혼들과 마주하고 있었다.

이렇게 뒤늦은 깨달음이라니·······.

하지만 어떻게 그럴 수 있단 말인가?

이곳은 신들의 영역인 결계도 아닌 한 호수의 안 아닌가?

그렇다!

호수 안에는 '사자의 서'를 가지고 있는 징기스칸의 무덤이 있지 않은가?

〈모든 것은······ '사자의 서' 때문인 것 같네. 자세히 설명하자면 길지만 스승님이 말씀하시기를, 내가 보았던 그 '생명의 나무'는 '사자의 서'의 반대편에 존재하신다고 하셨네. 그렇다면 '사자의 서'가 죽음과 관계되고 '생명의 나무'가 탄생과 관계된다는 말이 아닌가?〉

〈그럼 '사자의 서'가 죽음을 부르고 있다는 말입니까?〉

〈그 비슷한 이야기가 되지. 하지만 나도 어떻게, 왜 그런지는 모르겠네.〉

불현듯 10여 년 전의 경험했던 신의 영역에 대한 이해가 몰려오기 시작했다.

붉은 색의 용이 휘감고 있던 그 빛의 나무인 생명 탄생의 나무와 구체에 조각되어 있던 용이 이해되기 시작했고 그리고 미국인 존스 박사의 이론이었던 '에덴동산'이 그 장소일거라던 그의 이론도 이해되기 시작했다.

그리고 어린 시절부터 피상적으로 읽어오던 아담과 이브의 이야기에서 이브를 꼬드겨낸 뱀의 이야기는 암컷과 수컷의 만남으로 마치 신과 같이 생명을 잉태해내는 위대한 비밀을 알게 된 상징성 역시 이해가 되기 시작했다.

히틀러와의 단독 탐사 후,
'사자의 서'로 몰려들고 있는 영혼들이 그 빛의 정체라고 하는 나의 이야기는 참모들을 적잖이 실망시킨듯하였다.
그 이야기를 들은 참모들의 표정에는 '무슨 미친 소리를 하는 건지 모르겠군.'하며 어이없어하는 속내를 숨김없이 드러내고 있었다.

죽고 죽이는 냉혹한 현실성은 그들에게서 영혼의 이야기란, 마치 소설 속에서나 나오는 딴 세상 이야기처럼 마음에 와 닿지 않는 이야기였다.

참모들의 회의분위기가 이렇듯 무기력에 빠져 있을 때, 정찰을 나갔던 두 명의 승무원이 50대로 보이는 두 명의 사내들을 체포해 왔다.
영혼 운운하는 회의는 금방 그 체포사건에 묻히었다.
놀랍게도 두 명의 남자들은 독일어를 구사하였다.
〈이들이 호수 밖에서 저의 잠수함과 무덤의 좌표 근처에서 서성거리기에 체포했습니다.〉
정찰병의 말이 떨어지자 히틀러가 앞으로 나섰다. 히틀러를 보자 남자들은 아연실색을 하였다.
〈무엇 때문에 이곳을 서성대는가? 국적이 어디인가?〉
히틀러의 질문에 그들은 두려움 보다는 오히려 우리 쪽이 더 흥미롭다는 듯이 흥분하여 답했다.
〈저희는 과학자들입니다. 국적은 크로아티아인입니다. 하지만 20대 이후 미국 뉴욕에서 연구 활동을 하고 있습니다. 저…… 혹시 독일연방의 총통 아니십니까?〉
히틀러는 그들의 질문을 무시하고 다시 질문했다.
〈과학자? 오스트리아 억양인데 과학자들이 여긴 무슨 일인가?〉
〈아, 저희들은 젊은 날 한때 오스트리아에서 공부했었고 이곳은 조사를 위해서 왔습니다.〉
〈조사? 무슨 조사인가?〉
〈…….〉
과학자라고 주장하는 두 사내는 머뭇거리고 있었다. 서로 얼굴만 쳐다보고 있을 뿐 대답을 회피하듯 입을 닫아 버렸다. 이에 히틀러는 짜증 섞인 목소리로 말했다.
〈당신들 스파이나 염탐꾼인가?!〉
〈아…… 아닙니다! 저희들은 과학자들이 맞습니다!〉
그들은 이미 이들이 독일군임을 파악한 듯이 격하게 부정하였다.
〈당신들이 무엇 때문에 여기에 왔던 지간에 이미 우리를 보았기에 우리의 임무가 끝나기 전에는 당신들 역시 여기를 떠날 수는 없을 것이오! 그러니 무엇을 조사하러 이곳에 왔는지 어서 밝히시오!〉
히틀러는 소리를 높이며 그들에게 다그쳤다.
〈저희들은 저희 스승의 실험에 대한 조사를 하고자 이곳에 왔습니다. 정확히 저희가 파악한 바는 아니지만 저희도 조사를 통해서 뒤늦게나마 실험의 실체를 알고자해서 이곳까지 온 것입니다.〉
〈실험? 무슨 실험인가?〉
〈저…… 그것이…… 1908년 6월에 바이칼호수의 북단인 시베

리아의 퉁그스카지역에 원인을 알 수 없는 대폭발이 있었던 적이 있습니다.〉

〈아! 그 사건 기억하네. 반경 1000km밖에서도 창문이 깨질 정도로 큰 지진을 일으킨 큰 사고였던 걸로 기억하네.〉

내가 대화에 끼어들었다. 당시 나는 임무를 위해 일본에 상주하고 있었으나 그곳의 신문에서도 대서특필 될 정도로 큰 사고였던 걸 기억하고 있었다.

하지만 그 사고의 원인에 대해서는 억측만 있을 뿐 정확한 파악이 되지 않아 당시 많은 이들을 의아해하게 했던 사건이었다.

〈네, 맞습니다. 뿐만 아니라 500km 떨어진 시베리아 횡단열차가 그 충격파로 탈선하고 부상자들이 속출했었던 사건입니다만, 당시 러시아의 정치적상황이 급변하는 때였으므로 제대로 된 조사가 이루어지지 못하고 1921년도에 조사대가 뒤늦게 파견되었지만 13년이나 지난 후인데다가 그나마 조사한 내용이 모두 없어져 버려서 그 원인을 알 수 없는 사건이었죠.〉

〈그런데 그 대폭발 사건과 당신들의 스승의 실험과 연관이 있는 것이오?〉

히틀러는 가늘게 눈을 뜨며 팔짱을 끼면서 짧은 한숨을 쉬며 말했다.

〈네……, 저희는 20대에 오스트리아에서 전기 학교를 나와서 뉴욕으로 스승님을 찾아가 그의 강의를 접하면서 실험을 돕는 일을 하던 학생이었지만 단지 보조 역할만해서 당시 실험의 자세한 사항은 잘 모릅니다. 그리고 스승님은 실험에 필요한 기계장치나 실험 요령들을 머릿속에 미리 그림처럼 설계하시고 나중에 그 성공여부를 시뮬레이션 하셔서 가능성이 있을 때 그 기계들을 제작하시곤 하셔서 스승님의 실험의 전부는 다 안다고 할 수 없었는데

2년 전 스승님께서 뉴욕에서 돌아 가셨습니다. 뒷수습을 위해 스승님이 묵으시던 호텔방의 물건 등을 정리하다가 일기장 겸 실험노트를 발견했습니다. 그 노트에는 여러 번 퉁구스카의 폭발사건에 대한 언급이 있었습니다.〉

〈그렇다면 퉁구스카의 폭발이 당신들 스승의 실험의 결과란 말인가?〉

나는 그들에게 실토를 받아내는 고문관마냥 험하게 말했다.

〈그것을 조사하러 저희들이 온 것입니다.〉

〈그 실험이란 어떤 실험인가?〉

이번엔 히틀러가 물었다.

〈실험노트에 적힌 바로는 지구자연에너지에 관한 것이었는데 간단히 요약하자면 지구의 지각 밑쪽과 지구의 하늘 위 50km지점 위쪽부터는 일정한 파장을 가진 전기적인 에너지가 존재하여 지구의 지자기와 생명체에 영향을 미친다는 것입니다. 사실 이것은 1920년 이후 전리층의 발견으로 과학적으로 증명되어 현재 무선에 사용하고 있는 것을 알고 계실 것입니다. 스승님은 그 이전에 이 에너지들을 이용하는 연구를 이미 계속해서 하셨습니다. 그러나 그것을 상용화하거나 구체화하는 데는 실패하셨고 에너지를 자극하여 모우는 단계까지는 방법을 아셨던 것 같습니다. 하지만 그것이 어느 경로를 통해서 전달이 되는 지를 찾지 못하여 그 막대한 에너지를 이용할 수 있는 방법을 최근까지도 연구하신 듯합니다. 태양의 흑점처럼 이런 종류의 막대한 에너지가 드나드는 경로가 지구내에 여러 곳에 있을 것으로 추정하셨습니다.〉

〈만약 그 말이 사실이라면 당신들의 스승은 이미 오래전에 그 에너지를 모아서 시베리아 일부를 폭발시킬 만큼의 커다란 힘을 사용했다는 것 아니요?〉

히틀러는 계속해서 질문했다.

〈그것이…… 지각 밑의 에너지인지, 전리층의 에너지인지는 확신을 할 수는 없지만 스승님께서 메모에 퉁구스카를 여러 번 명시하신 것으로 보아 그것이 실험의 결과인 듯합니다. 하지만 스승님도 그 에너지가 왜 퉁구스카에 영향을 미쳤는지에 관한한은 확신을 하지 못하는 듯 했습니다. 다만 저희 둘이 조사한 결과, 당시에 여러 사람들이 그 사건을 목격했는데 몇몇의 사람들에게 당시 상황을 그대로 진술해 달라고 주문했습니다. 그 사람들 말이 한결같이 거대한 둥근 오렌지색 빛이 공중을 타고 천천히 오르더니 공중에서 폭발했다는 것입니다. 그 둥근 오렌지색 빛은 나무나 건물을 그대로 통과하고 교회 지붕에서는 튕기는 듯한 반응도 보였는데 꽤 오랫동안 그 거대한 빛이 공중에 떠 있었던 것으로 보입니다.〉

〈거대한 둥근 오렌지색 빛?〉

〈네, 사실 이 오렌지색 빛이 규모가 워낙 커서 사람들이 알아채지 못한 것 같은데 이것은 흔한 현상입니다. 특히 번개 칠 때 자주 생기는 현상으로 구전현상이라고 합니다. 번개 칠 때는 대개는 1cm에서 10cm정도로 규모가 작은 오렌지색 빛의 구체가 생겨 하늘을 타고 오르다가 서서히 위로 오르면서 그냥 소멸하거나 폭발하는 것을 종종 볼 수 있습니다. 이것은 번개와 같이 에너지의 방전이 심한 장소에서 생기는데 이 오렌지 빛으로 보아 대규모의 에너지 방전이 있었다고 보아집니다. 그러니깐 실험이 어느 정도는 성공한 것이 맞는 것 같습니다. 단지 생성장소를 알 수 없었던 거죠.〉

〈구전현상……? 난 한 번도 본적이 없는데. 그건 어떤 것인가?〉

〈사실 이 구전현상이 생기는 정확한 원인은 밝혀지지 않고 있습니다. 이 구전은 기체도 액체도 고체도 아닌 제 4의 물질상태로 보시면 됩니다. 이것은 에너지가 이온화되는 과정에서 생기는 것인데 아주 특이한 성질을 가지고 있어 물체나 유리를 통과하여 집이나 비행기 안으로 들어가는 경우도 있고 물체를 만나면 튕기기도 합니다. 쉽게 설명하자면 오로라 현상 같은 것이 태양의 영향으로 이런 제 4의 물질상태에서 만들어지는 것입니다.〉

〈허허, 거의 반물질상태라는 거 아닌가……? 그런데 자네들의 스승은 누구인가?〉

거의 37년 전 사고의 실체를 이런 상황에서 듣게 되다니, 그것도 이 곳 바이칼에서…….

나는 궁금하여 그들에게 물었다.

〈저희의 스승님은 니콜라 테슬라입니다.〉

〈니콜라 테슬라?!〉

히틀러가 눈을 크게 뜨고 그 이름을 되뇌었다.

〈그 자라면 무선통신과 무선 살인무기 개발을 발표하였던 자 아닌가?〉

〈스승님을 알고 계십니까?〉

두 사내는 놀랍다는 듯 되물었다.

〈그에게 무기와 무선통신의 개발 사업을 내가 제안한 적이 있었지.〉

이 사실은 나도 몰랐던 사실이었다. 명성도 없는 국외의 과학자를 히틀러가 고용하려했었다는 것 아닌가?

〈그건…… 나도 몰랐던 사실이네만…….〉

〈그런데 거절하더군요. 막대한 금액을 제시했었는데 말입니다.〉

〈의아하네요. 스승님은 당시 계획은 있었으나 자금을 대주겠다는 사람이 없어 원하는 장치들을 만들지 못하는 것을 애석해 하셨는데……, 돈을 얻으면 그것들이 가능했을 텐데, 왜 그런 좋은 기회를 잡지 않은 걸까요?〉

알 수 없는 스승의 속내를 궁금해 한 것은 사내들뿐만 아니라 나 역시도 그랬다.

대화가 오가는 중에 히틀러는 잠시 회상에 잠긴 듯하였다가 얼굴을 돌려 안색을 바꾸면서 그들에게 명령하듯 말했다.

〈내일부터 당신들도 작업에 참가 하시오!〉

〈네?! 무슨 작업을?〉

〈당신들의 스승이 한 실험과 바이칼과 무슨 연관이 있는 것 아니오? 그렇다면 철저히 조사해야 할 것 아니오. 바이칼의 바닥을 뒤져서라도.〉

〈저희들은 퉁구스카 폭발지역 주변 반경을 조사하고 있습니다. 사실상 그 막대한 에너지가 방사된 장소를 찾고 있습니다. 만약 그 작업이라는 것이 바이칼의 바닥을 뒤지는 거라면 기꺼이 같이 참여할 의향이 있습니다. 오히려 저희에게는 도움이 될 것 같습니다.〉

그들의 말을 들은 후 히틀러는 나를 쳐다보았다. 그의 눈빛은 의미심장한 긴 대화를 나누는 듯 잠시 고정되어 있었다.

또 다시 밤이 다가왔다.

승무원들 사이에 기현상이 벌어졌다. 다들 자려 들지 않는 것이었다. 침대가 있더라도 앉아서 밤을 세려 하거나 꾸벅 꾸벅 앉은 채로 졸고 있는 사람들도 있었다.

〈병사들이 어째서 잠을 자려 하지 않습니까?〉

승무원들로부터 침대를 양보 받아 잠자리에 들려던 두 명의 과학자들 중 한 명이 이해가 되지 않는다는 듯 물어 왔다.

그의 질문에 나는 무어라고 할 말을 잃어 버렸다. 그도 그럴 것이 실체가 없는 죽음의 그림자에 대해 설명할 방도가 없었기 때문이었다.

시간이 새벽을 향해 갈 때쯤, 승무원들은 하나, 둘 잠에 빠져들고 있었다. 나는 과학자들이 자고 있는 침대 한 쪽 켠에 기대어 앉은 채 졸고 있었다고 생각했다.

그런데 갑자기 맞은편 침대 쪽 벽에서 검은 그림자가 나타났다. 둥근형태의 그 그림자는 사람의 형체가 없는 그야말로 검은 그림자와 같았다. 아니 그림자보다는 약간 더 입체감이 있었다고나할까.

그 괴물체가 서서히 바닥을 따라 나에게로 미끄러지듯 밀려 왔다. 나는 강한 공포감을 느꼈다. 괴물체가 나에게로 접근하더니 천천히 모습을 위로 세우고는 나의 목을 조르고 있었다. 아니 조른다고 느껴졌다.

그 괴물체는 손이 있는 것도 아니요 사람처럼 얼굴형상이 있는 그런 존재가 아니었으므로 그것은 단지 나의 느낌이었을 것이다. 나는 공포감으로 손끝하나 움직일 수가 없었다. 몸은 마비가 된 듯이 움직일 수가 없었고 점점 그 존재는 나를 눌러왔다.

나는 발버둥치려 했으나 마치 영혼이 나의 몸을 지배하지 않고 밖에 나와 있는 것 마냥 몸은 전혀 말을 듣지 않았고 죽음에 대한 공포심만이 엄습해왔다. 그 순간 나는 있는 힘을 다하여 그 괴물체에게 욕을 했다.

'어서 꺼져 버려. 이 새끼야!'

내가 말했다고 느꼈지만 말은 알아들을 수 없을 정도로 버벅거리는 소리로 들리어왔다. 이런 상황이 이해가지 않았다. 하지만 나는 다시 한 번 있는 힘을 다하여 정확한 발음으로 말하려고 애썼다. 그때 나는 눈을 떴다.

주변 상황은 너무나 평온한 상태였다.

'꿈이었나?'

나는 기대고 있던 몸을 일으켰다. 손과 목을 움직여 보았다. 마비된 상태가 풀린듯했다. 주변은 고요했고 다들 깊은 잠에 빠져 들어있는 것 같았다.

다시 잠자리에 들려고 벽에 기대려고 하자, 나도 모르게 머리에 냉기가 흐르듯 띵한 느낌이 왔다.

'이것인가?'

승무원들을 하나씩 죽음으로 몰아넣는 존재가 바로 꿈인지 생시인지 구분이 되지 않는 가수면 상태에서 일어나는 일일까라는 생각이 들자 나는 잠자고 있는 승무원들에게로 다가가 한명씩 살폈다. 숨을 쉬고 있는지, 잠이 든 상태인지, 일일이 승무원들의 코에 손을 가져다가 그들의 숨을 느껴보았다. 모두들 이상 없음을 확인하고 다시 잠을 청하였다.

다음날 아침, 밤 중간에 내가 확인했음에도 불구하고 슈로더함장의 잠수함에서 1명의 승무원이 조사팀 잠수함에서 1명의 승무원이 또 당했다.

히틀러는 침울한 얼굴이었다.

〈어젯밤 이상한 일을 겪었네. 이게 승무원들의 죽음과 무슨 연관이 있는 지는 나도 알 수 없지만 어젯밤에 검은 그림자가 나를 죽이려 했었네.〉

나는 어제 영혼에 대한 발언에 이어, 역시나 현실성이 떨어지는 발언이라는 것을 알면서도 말해야겠다는 생각이 들었다. 지금 벌어지고 있는 젊은 승무원들이 죽어 나가는 이 사안도 역시 현실성이 떨어지는 이해하기 힘든 일인 건 마찬가지가 아니던가?

〈저도 그랬습니다.〉

영혼에 대한 발언으로 히틀러가 나의 말에 신빙성을 의심할 것이라고 걱정했으나 그는 의외의 대답을 하였다.

〈자네도?!〉

〈아무래도 '사자의 서'의 영향이라고 밖에는 설명이 되질 않습니다. 지금 우리 주변에 과학적으로 설명이 되지 않는 것이 그것 아닙니까.〉

〈이렇게 위협적인 것을 탐사해야겠는가?〉

〈이미 그것 외에는 선택이 남아 있지 않습니다. 오히려 힘을 가진 그것을 어서 찾아내고 싶습니다.〉

그랬다.

우리는 이제 돌아 설 곳이 없는 막다른 벼랑에 서 있었던 것을 잊고 있었다.

과학자 두 명이 조정실 내부로 들어오면서 안색이 좋지 않은 모습으로 나에게 물어 왔다.

〈잠수함 내부에 전염병이 돕니까?〉

〈아닐세. 확신할 수 없지만 오늘 자네들이 탐사하려는 것과 관련이 있는 듯하네.〉

심상치 않은 나의 대답에 그들은 불안한 낯빛이 역력했다.

〈도대체 탐사하여 찾고 있는 것이 무엇입니까?〉

〈어차피 곧 알게 되겠지만 우리가 탐사할 곳은……, 징기스칸의 무덤일세.〉

〈징기스칸의 무덤요?〉

그들은 전혀 짐작치 못했던 사실에 놀라는 눈치였으나 곧바로 학자적인 호기심을 드러내었다.

〈징기스칸의 무덤이 바이칼에 있습니까? 호수 안에요?〉

〈…….〉

그들의 정확한 추측에 나는 말없이 고개를 끄덕였다. 나의 반응을 본 그들은 서로의 얼굴을 마주 보며 놀라워했다.

〈독일제국의 총통께서 여기까지 와서 고고학 탐사를 할 리는 없고……, 무덤에서 무엇을 찾고 계시는 겁니까?〉

〈나도 알 수 없네. 어떤 물건인지, 만질 수 있는 것인지, 인간의 눈으로 볼 수 있는 것인지 도통 알 수 없다네. 그것은 신계의 것이지 인간의 것이 아니란 말일세.〉

나의 말에 그들의 눈은 더욱 빛났다.

그런 눈빛을 나는 기억한다. 탐욕에 젖거나 어떤 권세를 얻고자 갈망하는 인간의 눈빛과는 그 본색부터 다른 눈빛이었다. 그것은 새로운 것의 탐구와 발견을 얻고자하는 지극히 학자적인 지적 호기심에 이글거리는 눈빛이었다.

그 눈빛을 가진 두 명의 과학자들의 모습에서 나는 한 번도 본 적 없는 그들의 스승을 보는 듯했다. 제자들에게 학자적 영향력을 보인 그들의 스승이 어떤 사람인지는 보아서가 아니라 그냥 느껴졌다.

〈어떤 것인지 무척 궁금하군요. 인체에 영향을 끼치는 것 같은데 위험한 것일 수도 있겠습니다. 탐사는 언제 시작됩니까?〉

그 둘의 분위기는 공포심에 사로잡힌 나머지 서로 눈치를 보며 탐사에 따라 나서기를 꺼려하는 승무원들과는 사뭇 달랐다. 그들은 어린 아이들 마냥 탐사가 기다려지는 듯 보였다.

오후 해질녘을 기다려 얼음에 뒤덮인 바이칼 호수에 어둠이 내려앉을 때쯤 구체의 입구로 추정되는 얼음 부분을 둥근 모양으로 절단해내는 작업부터 시작이 되었다.

오늘의 탐사대는 히틀러와 나 외에 두 명의 과학자와 참모 2명 승무원 3명만이 우선 선발되었다.

탐사의 진행이 어떻게 흘러갈지 몰라서 구체적인 일정이 나온 것은 아니었으나 목표는 확실했다.

바로 '사자의 서'를 찾는 그것이었다.

어둠을 틈탄 얼음 절단 작업은 드디어 손전등 아래에서 뱀이 꼬리를 물고 있는 형상인 우로보로스의 실체를 드러내었다. 둥근 모양의 입구는 지름이 1m정도로 우로보로스의 뱀의 형상부분에 돌이 한 눈에 보기에도 마치 뚜껑마냥 20cm가량 도드라져 있었다. 필시 마개와 같은 느낌이랄까?

탐사팀의 함장이 계획대로 우로보로스의 둥근 뚜껑부분을 깨도록 명령하였다. 강한 화강암으로 되어 있어 모터가 달린 드릴로 뚫어 부수고 있었지만 꽤 시간이 드는 작업이었다.

그때 크로아티아 과학자중 한 명이 나서며 작업을 중지시켰다.

〈앗! 잠시 작업을 멈추어 주세요!〉

그러더니 그는 작업이 진행 중인 부분으로 뛰어 내려가 깨어진 암석 덩어리를 들추어 보고는 고개를 아래로 쳐 박듯이 내밀어 무언가 살피는가 싶더니 암석의 덩어리를 들고 다시 위로 올라와 히틀러에게 그것을 내밀며 말했다.

〈이 암석의 부분을 자세히 보시면 사선의 굵은 옆선 조각이 보이실 것입니다. 마찬가지로 아래쪽의 본체부분에도 이것과 반대로 굵은 사선이 파여 있습니다.〉

〈그것이 어떻다는 것인가?〉

히틀러는 퉁명스럽게 말했다.

〈놀랍게도 이건 스큐류 구조로 조각되어진 것 같습니다. 본체 부분과 뚜껑의 암석부분이 볼트와 너트마냥 끼워진 원리로 되어 있

는 것입니다.〉
〈그렇다면 이 뚜껑부분을 돌려서 열을 수 있다는 말입니까?〉
과학자의 말에 작업 지휘를 맡고 있던 함장이 나서며 말했다.
〈만약에 그런 구조라면 그렇게 여는 것이 가능하리라 생각됩니다.〉
〈그렇게 해보게.〉
듣고만 있던 히틀러가 명령했다.
뚜껑은 다섯 명의 승무원들이 돌려 열어 보려 해도 꿈쩍하지 않았다. 이윽고 함장은 뚜껑부분과 본체에서 흰색의 물질을 가지고 와서 보였다.
〈이걸 보십시오. 이것 때문에 열리지 않은 듯합니다.〉
〈그것이 무언가?〉
히틀러의 질문에 크로아티아 과학자가 다가와 살펴보았다. 그러더니 그는 주머니에서 신형 미국산 라이터를 꺼내어 그 물질에 가져가 대었다.
〈이것은 불에 녹는 것으로 보아 파라핀인 것 같습니다. 아니면 동물의 기름이거나 어찌 되었든 이것을 만든 이는 영리했던 것 같습니다. 20세기에 기술의 산물인 볼트와 너트 시스템이나 이것을 헐거워지지 않기 하기위해 파라핀을 녹여 조각에 붙여 뚜껑을 닫음으로써 헐거워지는 것과 물이 유입되는 것을 방지한 듯합니다.〉
과학자의 이런 설명을 듣고 바로 함장은 말을 이었다.
〈이 사람의 말대로라면, 구체의 내부는 물이 차 있지 않을 것으로 추정됩니다.〉
〈파라핀을 녹이면서 뚜껑을 여는 작업을 계속해 보게!〉
그들의 이야기를 모두 조용히 듣고 있던 히틀러가 재빠르게 명령하였다.

승무원들은 전열기구와 모터를 가지고 와서 입구부분 둘레에 대고 한참을 파라핀을 녹이는 작업을 하였다. 그 후 다시 다섯 명의 건장한 승무원들이 달구어진 암석뚜껑에 모포를 덮고는 구령을 맞추어 돌렸다.

'구르르렁'

묵직한 소리를 내며 암석의 뚜껑은 왼쪽으로 돌아가기 시작했다. 계속해서 파라핀을 녹이고 돌리고 하는 작업이 반복적으로 이루어질 때마다 암석의 뚜껑은 크고 깊은 울림소리를 내면서 점점 위로 올라오고 있었다.

드디어 거의 1m깊이로 만들어진 나사뚜껑이 모두 돌아가 뽑히었다.

그 순간, 1200년대의 공기와 1945년의 공기가 교차는 소리를 나는 지금도 잊을 수가 없다.

'슈우우우우우웅'

공기가 교차하는 소리는 구체의 내부를 거대한 악기마냥 울리고 있었다. 공기의 교차소리로 인해서인지 히틀러는 몇 시간 후에 탐사를 시작할 것을 명하였다.

시베리아에서부터 불어오는 차가운 바람이 먼 길을 날아온 독기를 뿜어내듯 무서운 소리를 내는 영하 20도의 혹한의 얼음벌판 바이칼 한 가운데, 700년 전의 공기를 잡아먹듯 한참을 기이한 소리를 내었다.

'우우우우우우웅'

각각의 손에 손전등을 든 9명의 탐사팀은 한 사람씩 무덤의 아래로 내려갔다. 입구부분에서 히틀러는 대형 라이트를 비추도록 명령하였다.

대형 라이트에 드러난 지름 66m의 대형 구의 안은 뱀처럼 구불거리는 돌기둥들의 덤불숲 같았다. 돌기둥들은 둥근 형태로 4, 50cm정도의 굵기로 깎아져 마치 거미줄이 얽혀 있는 것 마냥 구불구불 이어져 있었다.

〈이대로는 탐사를 할 수 없네. 돌기둥들이 모두 둥글게 조각되어 잘못 균형을 잡으면 추락하기 십상일세.〉

나는 히틀러에게 탐사의 불가함을 말했다.

〈각각 준비해온 밧줄을 풀어 허리에 묶고 기둥에다가 밧줄을 고정 시켜라!〉

그는 냉정하게 나의 의견을 무시해 버렸다.

모두들 밧줄로 한 쪽 끝은 기둥에 다른 한 쪽 끝은 자신의 허리에 매었다. 그리고 천천히 앞으로 기둥을 따라 이동하였다.

기둥들은 일정한 방향이 있는 것이 아니라 나뭇가지 마냥 아무렇게나 구불거리고 있었다. 모두들 곡예를 하듯이 기둥과 기둥의 사이를 타고 옮겨 갔다.

우리의 목적지는 구체의 아래 방향이었다.

입구에서부터 10m가량 내려왔다고 생각할 때였다. 3번째로 전진하던 대원이 기둥의 내리막을 잘 못 디뎌 미끄러져 아래로 내동댕이쳐졌다.

'아악앙앙앙앙앙'

구체는 비명마저도 기이한 소리로 왜곡되게 울림을 만들어 내었다.

나는 이미 등에 땀이 비 오듯이 흐르고 있었고 손에도 땀 때문에 기둥을 잡고 있을 수 없을 지경이었다.

〈히틀러! 더 이상의 전진은 무리네!〉

〈대형 라이트를 비추어 보라!〉

히틀러는 오히려 이런 극한 상황에서 차갑게 느껴질 만큼 침착함을 보이고 있었다.

대형 라이트에 비추어진 아래는 기억하고 싶지도 않은 칠흑 같은 어둠뿐이었다.

〈너무 어두워 미끄러진 대원이 보이지 않습니다!〉

그랬다.

아무리 비추어 보아도 분명 기둥에 묶여진 그의 밧줄은 아래로 드리워져 이리저리 움직이고 있었으나 그 아래쪽은 일정 깊이에서부터 마치 검은 안개에 휩싸여 있는 듯 암흑 그 자체였다.

소름이 끼쳐왔다.

도대체 이건 무언가?

이곳은 지옥이란 말인가?

〈밧줄을 올려 보라!〉

히틀러는 감정이 없는 사람인양 이 지옥 같은 곳에서 우리들 중 떨고 있지 않은 유일한 사람인 듯했다.

대원이 그의 명령에 따라 재빠르게 잡아 올린 밧줄은 비어 있었다. 밧줄에 몸을 묶은 매듭과 몸을 감쌌던 둥근 부분까지 그대로였지만 대원은 그 밧줄에 없었다.

〈대원이 사라졌습니다!〉

얼마간 밧줄을 바라보며 모두들 말문이 막혀 있었다.

〈대형 라이트를 밑으로 떨어 뜨려 보게!〉

확인을 해보려는 의도인 듯 히틀러가 명령을 내렸다.

곧이어 대형 라이트는 밑으로 떨어졌고 놀랍게도 라이트가 마치 암흑에 빨려들듯 사라지고 그 빛도, 떨어지는 소리조차도 모두 삼켜 버린 듯 흔적도 없이 사라졌다.

이때 과학자중 한 명이 떨리는 목소리로 입을 열었다.

〈저 밑에 있는 것은 암흑물질인 듯합니다. 만약 그렇다면, 밑으로 내려가는 것은 불가능합니다.〉

〈밖으로 나간다!〉

과학자의 말에 무슨 생각을 했는지 물러서지 않을 듯했던 히틀러가 퇴각 명령을 내렸다.

징기스칸의 무덤에서 나온 대원들은 모두 멍한 상태였다.

겁에 잔뜩 질린 채 밖으로 나온 대원들의 표정을 보며 나머지 승무원들은 술렁거렸다. 밖은 희미하게 여명이 밝아 오고 있었다. 입구를 막고 얼음으로 다시 덮어 눈으로 위장을 한 다음 모두들 잠수함으로 복귀를 했다.

하지만 그 누구도 잠을 자는 사람은 없었다. 참모들은 회의가 소집이 되었다.

〈암흑물질이란 것이 무엇인가?〉

히틀러는 회의에 참석한 과학자에게 먼저 물었다.

〈아직 정설로 알려진 것은 아닙니다. 어디까지나 가설입니다만 우주를 채우고 있는 어두운 물질을 일컫는 것입니다. 일부 우주물리학자들이 내세우고 있는 것이지만 현재까지 어떤 것도 증명된 것은 없습니다. 또한 저 물질이 암흑물질이라고 꼭 확신할 수 없습니다. 어떤 금속이 산화되거나 이온화되어 내부에 차 있는 것일 수도 있습니다. 다만 빛도 소리도 흡수하는 것으로 보아, 지구상에서 알려지지 않은 암흑물질일거라고 생각한 것입니다.〉

〈총통각하, 그 암흑물질이 대원을 삼켜버렸다고 들었는데 그 물질은 죽음의 물질임에 틀림없습니다. 모두들 밤에 잠이 들면 검은 형체가 없는 존재가 보인다고 합니다. 그것은 알려지지 않은 미지의

괴물일지도 모릅니다.〉

탐사팀의 함장은 무덤 안에서의 물러서지 않는 히틀러의 행동에 대한 이야기를 들었을 텐데도 탐사에 대해 부정적인 입장을 표명했다.

〈호퍼 박사님, '사자의 서'가 그 암흑물질입니까?〉

나는 얼핏 나에게 묻고 있는 히틀러의 눈빛을 보았다. 그것은 아편에 중독된 자 마냥 다른 것은 안중에도 없고 오로지 그것만을 생각하는 몹쓸 눈빛이었다. 그는 냉정한 상태가 아니라 모든 정신을 거기에 빼앗긴 상태였다. 공포심이나 동정심, 불안감 같은 감정을 느끼지 못하는 그런 상태로 그는 점점 미쳐 가고 있었다.

〈내가 아는 '사자의 서'는 나치의 깃발인 '하겐 크로이츠'인 '스와스띠까'의 모습으로 나타난다고 하였네.〉

〈암흑물질로 가려진 그 속은 우리가 볼 수 없었지 않습니까? 그 속에 무엇인가 있을 수 있지 않습니까? 소용돌이치는 그 '하겐 크로이츠'처럼 강력한 구심력을 가지고 가공할 파괴력을 가진 그 무엇 말입니다.〉

〈그것은 그 누구도 알 수가 없네. 하지만 자네도 두 눈으로 보지 않았나? 인간의 능력 밖의 것임은 분명하네!〉

〈그것을 얻을 것입니다. 그것만 있으면 난 전쟁에서 승리할 것입니다. 그 암흑물질부터 손에 넣어야겠습니다. 아니 그 암흑물질이 아니라면 그것을 모두 제거해서라도 찾을 것입니다. 강력한 제왕의 '사자의 서'를 말입니다. 저는 아주 강하게 느낄 수 있어요. 그 힘이 저는 느껴집니다.〉

회의의 분위기는 얼어붙었다. 참모들 모두는 그의 판단에 동의할 수 없는 눈빛이었지만 어느 누구도 반대의견을 내지 않고 서로의 눈치만을 보고 있었다.

마치 소비에트연방과의 전쟁을 결정할 때의 참모들과의 회의 분위기 같다고 나는 느꼈다. 그 결정으로 인해 그는 총통 독재체제에 대한 반대파들의 의지를 굳히는 실수를 범하였다.

그러나 결국 그는 그가 원하는 대로 고집할 것이다.

오후부터 비가 내렸다.

이 바이칼의 겨울도 이제 가고 있는 것인가?

다시 어둠이 찾아 왔다.

히틀러는 제2차 탐사팀을 선별했다.

하지만 탐사대원들의 분위기는 심상치 않았다. 모두들 자신의 무덤이 될 줄 알면서도 제왕의 무덤으로 제 발로 걸어 들어 갈 수는 없는 노릇이었다.

탐사팀으로 발탁된 2명의 대원이 탈영을 결심한 듯하였다.

드넓은 얼음의 바이칼에서 그들이 도망갈 곳은 없었다.

그 두 명은 모두가 보는 가운데, 비가 내리고 있는 미끄러운 얼음 위를 있는 힘을 다해 도망치고 있었다.

히틀러는 그들을 가만히 지켜보고 있다가 승무원 중에 한명의 장총을 빼앗아 들어 숨소리도 내지 않고 그들을 정조준 하였다.

어둠이 점점 내려앉고 있는 비 내리는 바이칼에 두발의 총성이 들렸다.

그것이 무엇을 의미하는지 모두들 알고 있었다.

알혼섬 근처의 소련군도 그 소리를 들었을 것이고 저들의 사체는 곧 그들에게 발각이 될 것이다. 그 다음에는 소련군의 대대적인 수색이 시작될 것은 뻔한 사실이었다.

제2차 탐사대원들의 탐사는 이렇듯 총부리를 겨누어 협박조로 진행되었다.

임무는 '사자의 서'인 암흑물질을 얻는 것이었다.
바람을 뺀 소형보트에 풀무역할을 할 수 있는 기계가 부착된 그럴듯한 도구가 급조되었다. 이 소형보트에 우선 암흑물질을 담아서 온다는 게 히틀러의 생각이었다.
2차 탐사팀은 히틀러와 나를 비롯하여 과학자2명과 승무원 중 6명이 대원으로 구성되었다.
탐사팀은 급하게 제작된 소형보트 2개를 들고 다시 징기스칸의 무덤으로 들어갔다. 구불거리는 돌기둥들의 구간은 입구에서 봤을 때 약 20m까지 이어져 있었다. 그리고 돌기둥의 숲아래부터 10m까지는 빈 공간이었다.
그 이하로는 그 끝을 알 수 없는 검은 구름으로 가리어져 무엇이 있는지 전혀 알 수 없는 구간이었다.
대원중 두 명이 밧줄을 허리와 다리 두 군데에 동여 메고 돌기둥으로부터 10m을 거꾸로 매달린 채 내려가 바람이 빠져 있는 소형보트에 암흑물질을 채우는 작업이었다.
밧줄을 풀어주는 손잡이가 달린 장치가 돌기둥에 고정되고 서서히 두 대원들의 밧줄이 아래로 내려 보내어 졌다.
작업은 생각 외로 순조로웠다. 암흑물질이 풀무질에 보트 속으로 들어오는지는 확인할 길이 없었지만 어찌 되었든 간에 보트는 무언가로 채워지고 있었다.
보트에 5분의1가량 물질이 채워졌을 때 대원 두 명이 작업을 정지하고 올려줄 것을 요구해왔다.
두 대원들은 힘들어 하는 것이 역력했는데 밧줄을 잡아당겨 올리는 작업을 하는 대원들이 그 이유를 실감했다.
〈이건 무슨 쇳덩어리인 것 같습니다! 무게가 족히 200kg은 넘을 듯합니다!〉

아직 작은 풍선에 넣을 만큼의 양을 채웠을 뿐인데 그 무게가 그렇게 무겁다면 이건 무슨 물질이란 말인가?
작업을 하던 두 사람이 받들듯이 들어 올려 온 보트의 무게는 가히 쇳덩이의 무게였다.
일단 작업을 마친 두 명의 대원의 상태가 상당히 힘들어 하는 상태였다. 몇 분 되지 않은 작업을 했지만 거꾸로 매달려 작업을 한 탓인지 대원들의 얼굴은 사색이 되어 있었고 그 중 한명은 구토 증세를 보였다.
나와 두 명의 대원은 일단 암흑물질이 든 보트를 가지고 밖으로 나가기로 결정하고 나머지 대원들이 작업을 계속하기로 하였다.
물질이 채워진 보트는 조심스럽게 밀봉되었다. 한 사람이 두 손으로 한 아름 안을 정도의 양이었지만 세 사람이 같이 받들어 들어도 그 무게는 대단하였다.
우리가 입구 쪽으로 출발한 후 남은 대원들은 또 다른 보트에 암흑물질을 채우는 작업을 다시 시작하였다.
채워진 보트의 운반이 만만치 않음을 히틀러는 세 사람이 힘들게 돌기둥 숲을 오르는 것을 지켜보고 있었다.
그 모습이 내가 마지막으로 본 히틀러의 모습이었다.
그는 무슨 생각을 하였을까?
심상치 않은 무게의 암흑물질이 자신을 제왕으로 만들어 줄 거라고 믿고 있었던 것일까?

거의 입구까지 다다른 나는 무언가 잘못되었음을 느꼈다.
세 사람은 동시에 보트를 놓아 버렸다.
마치 거대한 잉어가 한번 꼬리를 세차게 내리쳐 손에서부터 미끄러져 놓친 것 마냥 보트는 살아있는 것처럼 우리의 손을 튕기어

나갔다.

아니 그것은 이제 보트라고 할 수도 없었다. 그것은 마치 녹아 흐르듯이 검은 형체로 바뀌고 있었다.

떨어지는 보트가 마귀의 모습처럼 그 형체의 일부는 아래로 흘러내리 듯 하였고 일부는 우리 향하여 빠르게 번져 오고 있었다.

〈달려!〉

앞뒤 생각할 것 없이 나는 외쳤다.

나의 뇌 속에 오랫동안 경험으로 누적된 알람신호가 끊임없이 울리는 것을 나는 들을 수 있었다.

돌기둥의 굴곡은 아랑곳 않고 우리는 전속력으로 내달렸다. 나는 달리면서 돌기둥에 고정시킨 밧줄이 생각났으므로 있는 힘을 다해 허리춤에서 그것을 풀어 버렸다.

입구에 다다랐을 때는 이미 그 암흑물질이 점점 입구 쪽으로 밀려오고 있었다.

나와 다른 한명의 대원은 입구 쪽으로 재빠르게 빠져 나왔지만 다른 대원은 돌기둥에 메어져 있던 밧줄이 허겁지겁 올라오는 과정에서 다리를 휘감아 버렸다. 이것이 잘 벗겨지지 않자 주머니칼을 꺼내어 잘라내려 하였지만 번져오는 암흑물질과 더불어 암흑 속에 빨려 들어가 버렸다.

〈모두들 피해!〉

입구에 기다리고 있던 참모며 대원들에게 얼음위로 모두 올라가라고 소리를 질렀다. 손쓸 새 없이 입구까지 다다라온 암흑물질은 기이하게도 마치 검은 물감이 마른 흰 걸레에 흡수되어 가는 것처럼 얼음에 번져나갔다.

입구 쪽 얼음부터 시작하여 그 거대한 바이칼의 얼음을 서서히 검은 얼음으로 만들어 가고 있었다.

이것을 본 나는 두려웠다.

일시에 갑자기 번개와 천둥이 치기 시작하였고 주변이 심상치가 않았다.

마치 암흑의 세상으로 변할 듯한 모습이었다.

〈이건! 암흑의 결계였어. 결계가 깨지려 한다! 어서 무덤의 뚜껑을 닫아라!〉

입구의 암흑물질은 계속적으로 얼음으로 스며들고 있었다. 승무원 일곱 명이 뚜껑을 입구로 옮겨 덮고는 있는 힘을 다해 오른쪽으로 돌리었다.

그제야 나는 내가 본 것이 오래 전 스승님이 들려주시던 불교계의 성인 '파드마 삼바바'의 암흑의 결계임을 알았다.

그리고 이 암흑의 결계가 여기에 있는 것이 우연이 아님을 깨달았다. 또한 그렇게 세상을 암흑천지가 되게 하였던 암흑의 결계를 '파드마 삼바바'가 잠재운 그 장소야말로 '사자의 서'가 있는 샴발라임을 나는 깨닫게 되었다.

그리고 그 암흑의 결계가 '사자의 서'를 지키기 위함이라는 것 또한 알 수가 있었다.

〈제왕이시여! '사자의 서'와 같이 잠드시오!〉

결국 제왕의 무덤은 그렇게 제왕이 되고자 꿈꾸던 자의 무덤이 되었다.

그것은 나의 결정도 아니었고 우연한 사고도 아니었으며 단지 그것이 운명이었을 뿐이었다. 그것만이 이 모든 것을 대신할 수 있는 대명사였다.

암흑의 결계는 서서히 잦아들어 동이 터 올 무렵에 서서히 가시기 시작하였다.

다음날 아침 나는 대원들에게 무덤을 얼음에 고정시키고 있는 쇠사슬을 모두 풀어 버릴 것을 명령하였다.

뒤이어 나는 절대로 여기 바이칼에서 소련군에게 잡히지 말 것을 당부하였고 그들에게 다시 북극해로 나 있는 지하통로로 이동할 것 명령하였다.

잠수함들 중 한 잠수함은 1945년 5월 25일 소탕된 것으로 전하며 히틀러의 비밀 탐사 잠수함은 그 종적이 묘연해졌다.

나는 작은 잠수정으로 조종사 한명과 함께 다른 경로를 선택하였다. 유일하게 바이칼 호의 물이 빠져 나가는 관문인 앙가라강을 통해 이어져 있는 예니세이강으로 빠져나와 북극해로 빠지는 경로를 선택하였다.

나는 노르웨이의 항구도시 베르겐에 도착한 다음, 그 후 여러 경로를 통해 베를린으로 돌아 올 수 있었다.

베를린의 집에 돌아온 후 나는 아내와 함께 그들을 기다렸다.

아내는 큰 애를 잃은 후 삶의 의욕이 없어진 듯하였다. 내가 돌아오기까지 기다리는 것이 그녀가 살고 있는 이유라고 했다. 그녀는 내가 왜 이곳에서 죽음을 기다리고 있는 지 묻지 않았으며 왜 도망가지 않냐고 재촉하지도 않았다.

그녀는 운명을 받아들이고 다만 나와 함께 끝내기를 기다리고 있는 듯했다.

나는 운명의 종말이 다가 왔음을 느꼈다. 더 이상의 삶이 남아 있지 않음을 아쉬워하지도 않았다. 지금 와서 생각하니 그냥 나는 내 역할을 한 것이었다. 그것뿐인 것이었다.

내가 그리 거창하게 꿈꾸던 그것은 성스럽고 너무나도 큰 계획의 단지 일부분일 뿐이었다.

'사자의 서'의 발견은 나의 운명이 아니었던 것이었다.

그들이 나를 찾는 것은 시간문제일 것이다. 나는 이제까지의 기록을 여기에 남긴다. 이것이 후대에 어떤 계기가 될 수 있을지도 모르기 때문이다.

나는 이제 와서 뒤늦게 수도승의 삶을 꿈꾸고 있다.

1946년 1월 그들의 방문을 받고 체포되었다. 그 후 전범재판을 받았다.

1946년 3월 13일 아내와 함께 운명을 마치다.

사자의서 2015 과거편

발　행 | 2015년 10월 12일
저　자 | 김은진
펴낸이 | 한건희
펴낸곳 | 주식회사 부크크
출판등록 | 2014.07.15.(제2014-16호)
주　소 | 경기도 부천시 원미구 춘의동 202 춘의테크노파크2단지 202동 1510호
전　화 | (070) 4085-7599
이메일 | info@bookk.co.kr

ISBN | 979-11-5811-380-3

www.bookk.co.kr